D1195738

# LES RÉPUTATIONS

Du même auteur

Les Dénonciateurs
*Actes Sud, 2008*
*et Seuil, à paraître*

Histoire secrète du Costaguana
*Seuil, 2010*
*et « Points » n° 2875*

Les Amants de la Toussaint
*Seuil, 2011*

Le Bruit des choses qui tombent
*Seuil, 2012*
*et « Points » n° 3084*

*JUAN GABRIEL VÁSQUEZ*

# LES RÉPUTATIONS

roman

TRADUIT DE L'ESPAGNOL (COLOMBIE)
PAR ISABELLE GUGNON

*ÉDITIONS DU SEUIL*
*25, bd Romain-Rolland, Paris XIV*[e]

Titre original : *Las Reputaciones*
© Juan Gabriel Vásquez, 2013
ISBN original : 978-958-758-524-7
Éditeur original : Alfaguara, Santillana Ediciones Generales, S.L.

ISBN 978-2-02-113918-1



www.seuil.com

*À Justin Webster et Assumpta Ayuso*

Comme quoi mêmes nez ne font pas mêmes hommes.
RODOLPHE TÖPFFER, *Essais d'autographie*

# I

Face au parc Santander, Mallarino se faisait cirer les chaussures en attendant d'aller à la cérémonie qui aurait lieu en son honneur, quand il eut tout à coup la certitude d'avoir vu un caricaturiste mort. Le pied gauche dans l'empreinte en bois de la caisse du cireur, le bas du dos bien calé contre le coussinet du siège pour empêcher sa vieille hernie de se manifester, il avait tué le temps en parcourant les tabloïds locaux, dont le papier de mauvaise qualité noircissait les doigts et dont les gros titres en capitales rouges évoquaient des crimes sanglants, des secrets d'alcôve ou des extraterrestres enlevant des enfants dans les quartiers sud de la ville. La lecture de la presse à sensation lui procurait une sorte de plaisir coupable qu'il ne s'autorisait que lorsque personne ne le regardait. Mallarino songeait aux heures qu'il avait perdues là, abandonné à un délassement blâmable sous les parasols aux couleurs timides, quand il leva la tête et détourna les yeux des caractères d'imprimerie comme on le fait pour mieux sonder sa mémoire. Il eut soudain l'impression de voir pour la première fois les grands immeubles, le ciel toujours gris, les arbres qui craquelaient le bitume depuis des temps immémoriaux. C'est alors que c'était arrivé.

La scène dura une fraction de seconde : la silhouette traversa la Carrera Séptima en costume sombre, coiffée d'un chapeau à large bord, le nœud papillon défait, puis tourna à l'angle de l'église San Francisco et disparut. Pour ne pas la perdre de vue, Mallarino se pencha en avant et retira son pied de la caisse au moment précis où le cireur approchait son chiffon du cuir du soulier, laissant une trace oblongue de cirage sur sa chaussette : un œil noir qui le scrutait d'en bas, aussi accusateur que les yeux mi-clos de l'homme. Mallarino, qui n'avait jusqu'alors vu le cireur que du haut de son siège – les épaules de son bleu de travail constellées de pellicules fraîchement tombées, le crâne dégarni par une impitoyable calvitie –, découvrit son nez sillonné de veinules, ses petites oreilles décollées, sa moustache blanche et grise comme la fiente des pigeons.

« Excusez-moi, lui dit Mallarino. J'ai cru voir quelqu'un. »

L'homme reprit son travail et continua d'appliquer le cirage par petites touches adroites sur l'empeigne de la chaussure.

« Dites, je peux vous poser une question ?

– Allez-y, monsieur.

– Vous avez déjà entendu parler de Ricardo Rendón ? »

En bas, un silence s'installa, le temps qu'une ou deux incertitudes traversent l'esprit du cireur.

« Non, ça ne me dit rien, monsieur. Si vous voulez, tout à l'heure, on pourra demander aux collègues. »

Les collègues. Deux ou trois d'entre eux commençaient

déjà à mettre de l'ordre dans leurs affaires. Ils pliaient leurs sièges, leurs chiffons et leurs peaux de chamois, rangeaient leurs brosses aux soies ébouriffées et leurs boîtes de cirage bosselées dans des caisses en bois et, au milieu du vacarme de la circulation du soir, l'air résonnait d'un cliquetis métallique et des couvercles en aluminium refermés avec force. Il était seize heures cinquante. Depuis quand les cireurs du centre-ville avaient-ils des horaires fixes ? Mallarino les avait dessinés plus d'une fois, surtout au début de sa carrière, lorsque gagner le cœur de Bogotá, s'y promener à pied et s'y faire cirer les chaussures était une manière de prendre le pouls de cette cité électrique, de se sentir le témoin direct des sujets qu'il traitait. Tout avait beaucoup changé : Mallarino avait changé, les cireurs aussi. Il n'allait presque plus en ville et avait pris l'habitude de regarder le monde sur des écrans et dans les pages des journaux, de laisser la vie venir à lui au lieu de la poursuivre jusque dans ses recoins les plus secrets, à croire qu'il estimait que son mérite l'y autorisait et qu'à présent, après tant d'années, c'était à la vie de venir le chercher. Les cireurs n'occupaient plus leur lieu de travail – deux mètres carrés d'espace public – en vertu d'un pacte d'honneur, mais de leur appartenance à un syndicat : le paiement d'une cotisation mensuelle, la possession d'une carte dûment plastifiée qu'ils exhibaient à la moindre provocation. Non, la ville n'était plus la même. Pourtant, quand Mallarino constatait ces changements, au lieu d'être nostalgique, il éprouvait la curieuse envie d'arrêter la progression du chaos, comme s'il pouvait stopper sa propre entropie intérieure, la lente oxydation de ses organes, l'érosion de sa mémoire reflétée dans la mémoire érodée de la ville : le fait que, par exemple, plus personne ne sache qui était Ricardo Rendón, mort depuis soixante-dix-neuf ans, qui venait de passer devant lui, à pied. Comme tant d'autres personnalités, le plus grand caricaturiste colombien avait été englouti par l'insatiable faim de l'oubli. *Moi aussi, un jour on m'oubliera*, songea Mallarino. Alors qu'il retirait son pied de l'empreinte et y plaçait l'autre, tout en secouant le journal (d'un habile tour de poignet) pour qu'une page froissée reprenne son aspect d'origine, Mallarino se répéta à part soi : *Oui, moi aussi on m'oubliera. Mais pas avant des années.*

« Et Javier Mallarino ? » s'entendit-il dire à cet instant.

Le cireur mit un moment à se rendre compte que la question lui était adressée.

« Oui, monsieur ?

– Javier Mallarino, vous savez qui c'est ?

– Oui, l'humoriste qui dessine dans les journaux, répondit l'homme. Mais il ne vient plus par ici. Il s'est lassé de Bogotá, en tout cas, c'est ce qu'on m'a dit. Ça fait longtemps qu'il vit en dehors de la ville, dans la montagne. »

On se souvenait donc encore de cela, ce qui n'avait rien de surprenant : il avait déménagé au début des années 1980, avant que n'explose la vague de terrorisme, à une époque où les gens n'avaient aucune raison de vouloir quitter la capitale, si bien que la nouvelle avait fait le tour du pays. S'attendant à ce que le cireur dise quelque chose, lui pose une question ou lâche une exclamation, Mallarino étudia la peau de son crâne, une zone dévastée avec quelques cheveux par-ci par-là, des taches qui trahissaient des heures passées au soleil : des parcelles cancéreuses en puissance, l'endroit où une vie commençait à s'éteindre. Mais l'homme n'ajouta rien de plus. Il ne l'avait pas reconnu. Dans quelques minutes, Mallarino allait recevoir l'ultime consécration, l'orgasme qui correspondait à un long coït de quarante ans avec son métier, et il accepterait cet hommage sans pouvoir s'empêcher de trouver surprenant qu'on ne le reconnaisse pas dans la rue. Ses caricatures politiques l'avaient élevé au rang que Rendón occupait au début des années 1930 : celui d'une autorité morale pour la moitié du pays, d'ennemi public numéro un pour l'autre moitié et, aux yeux de tous, d'homme capable de faire abroger une loi, contrarier le jugement d'un magistrat, renverser un maire ou menacer sérieusement la stabilité d'un ministre avec pour seules armes du papier et de l'encre de Chine. Pourtant, dans la rue, il n'était personne, *il pouvait continuer de n'être personne* car les caricatures, contrairement aux chroniques d'aujourd'hui, n'étaient pas assorties de la photo de leur auteur : pour le commun des lecteurs, elles arrivaient toutes seules, sans rapport avec celui qui les avait faites, comme une averse, comme un accident.

*L'humoriste*. Oui, c'est ce qu'était Mallarino. *L'humoriste a ses humeurs*, avait écrit un jour, dans le courrier des lecteurs, un politicien blessé dans son amour-propre. Ses yeux se posaient à présent sur la population du centre : le vendeur de billets de loterie assis sur le muret de pierre, l'étudiant qui attendait un minibus à destination du nord de la ville et qui se retournait par instants pour observer par-dessus son épaule, le couple immobile au milieu du trottoir, homme et femme, tous deux employés de bureau, tous deux vêtus de bleu marine et d'une chemise blanche, qui se tenaient par la main sans se regarder. Tous auraient réagi en entendant son nom – avec admiration ou répulsion, jamais avec indifférence –, bien qu'incapables d'identifier son visage. S'il commettait un crime, nul ne serait en mesure de le désigner dans la rangée des suspects habituels : oui, j'en suis sûr, c'est lui, le numéro cinq, le barbu, le mince, le chauve. Pour eux, Mallarino ne présentait aucun signe particulier, et les quelques lecteurs qui l'avaient rencontré au fil des ans avaient manifesté leur surprise : je ne vous imaginais pas chauve, ni mince ou barbu. Sa calvitie était de celles qui n'attirent pas le regard ; quand il croisait quelqu'un qu'il n'avait vu qu'une seule fois, Mallarino entendait souvent les mêmes commentaires déconcertés : « Vous avez été toujours été comme ça ? » ou : « C'est bizarre, je ne l'avais pas remarqué quand nous nous sommes rencontrés. » C'était sans doute dû à son expression, qui happait l'attention comme un trou noir happe la lumière : ses yeux aux paupières tombantes derrière ses lunettes, empreints d'une sorte de tristesse permanente, ou sa barbe dissimulant son visage comme le foulard d'un hors-la-loi. Une barbe qui avait un jour été noire et qui, bien que toujours abondante, grisonnait à présent : un peu plus à hauteur du menton et sous les pattes, un peu moins sur les côtés du visage. Peu importait : elle le camouflait encore et Mallarino restait difficile à identifier, un être anonyme dans les rues populeuses. Cet anonymat lui procurait un plaisir puéril (semblable à celui d'un enfant qui se cache dans des pièces interdites) et rassurait Magdalena, qui avait été sa femme en des temps désormais lointains. « Dans ce pays, on tue des gens pour moins que ça, lui disait-elle lorsqu'un de ses dessins étrillait un militaire ou un narcotrafiquant. Je préfère que personne ne sache qui tu es ni comment tu es. Je préfère que tu puisses aller acheter du lait sans me faire un sang d'encre si tu as du retard. »

Il balaya du regard l'univers du parc Santander à la tombée du soir. Il ne lui fallut qu'un court instant pour apercevoir trois personnes lisant le journal, son journal, et il songea que toutes trois jetteraient bientôt ou avaient déjà jeté un œil sur son nom écrit en caractères d'imprimerie, puis sur sa signature, la majuscule bien dessinée qui s'égaillait ensuite en un désordre de courbes et finissait par se désintégrer dans un coin, triste sillage d'un avion en chute libre. Tout le monde connaissait l'espace que sa caricature avait toujours occupé : très exactement au centre de la première page de la rubrique « Opinion », l'emplacement mythique consulté par tous les Colombiens quand ils veulent détester leurs hommes politiques ou découvrir pourquoi ils les aiment, le grand divan collectif d'un pays passablement malade. C'était la première chose qui attirait le regard quand on arrivait à cette rubrique. Le filet noir, les traits fins, la ligne de texte ou le court dialogue sous l'encadré : la scène qui sortait chaque jour de sa table à dessin et était encensée, admirée, commentée, mal interprétée, récusée dans une colonne de ce même journal ou d'un quotidien concurrent, dans le courrier offusqué d'un lecteur en colère ou lors d'un débat à une émission de radio matinale. C'était un pouvoir terrifiant, oui. Il fut un temps où Mallarino l'avait désiré plus que tout au monde ; il avait travaillé dur pour le détenir ; il en avait tiré du plaisir et l'avait minutieusement exploité. Et voilà que, maintenant, à soixante-cinq ans, la classe politique qu'il avait si souvent attaquée, harcelée et méprisée du fond de sa tranchée, dont il s'était moqué sans égards ni respect pour les liens d'amitié ou de sang (une attitude qui lui avait fait perdre beaucoup d'amis et l'avait même brouillé avec plusieurs membres de sa famille), cette classe politique avait décidé de mettre en marche la gigantesque machine colombienne de la flagornerie afin, pour la première et peut-être la dernière fois de son histoire, de rendre hommage à un caricaturiste. « Une occasion pareille ne se renouvellera pas », lui avait dit Rodrigo Valencia, directeur depuis trente ans du journal pour lequel travaillait Mallarino, quand il l'avait appelé, messager diligent, afin de lui toucher mot de la visite officielle qu'il venait de recevoir, des éloges qu'il venait d'entendre, des intentions que venaient de lui communiquer les organisateurs de l'événement.

« Une occasion pareille ne se renouvellera pas et ce serait bien bête de refuser.

– Qui a dit que j'allais refuser ? lâcha Mallarino.

– Personne. Enfin, si, moi. Parce que je vous connais, Javier. Et eux aussi, du reste, sans quoi ils ne se seraient pas d'abord adressés à moi.

– Ah, je vois. C'est vous qui négociez, vous qui devez me convaincre d'accepter.

– Plus ou moins », répondit Valencia.

Il avait une voix gutturale et profonde, de celles faites pour commander avec naturel ou dont on accepte sans broncher les exigences. Valencia le savait et était rodé dans l'exercice consistant à choisir les mots qui convenaient le mieux à ses intonations.

« Ils veulent que la cérémonie ait lieu au théâtre Colón, Javier, imaginez un peu. Vous n'allez pas laisser passer ça, ne soyez pas idiot. Je ne pense pas à vous, je me fiche pas mal de vous, vous savez. Je pense au journal. »

Mallarino poussa un soupir agacé.

« Eh bien, je vais y réfléchir.

– Pour le journal, dit Valencia.

– Rappelez-moi demain, on en reparlera, répondit Mallarino avant d'ajouter : Ce sera dans la salle Foyer ?

– Non, Javier, c'est ce que je me tue à vous faire comprendre. Ce sera dans la grande salle.

– Dans la grande salle, répéta Mallarino.

– C'est ce que je vous dis, mon vieux, c'est du sérieux. »

On le lui confirma par la suite – théâtre Colón, dans la grande salle, c'était du sérieux –, et il douta que l'endroit puisse convenir : là, sous la fresque des six muses, derrière le rideau où Ruy Blas, Roméo, Othello et Juliette avaient partagé le même espace halluciné, sur la scène où s'étaient déroulées sous ses yeux d'enfant tant de féeries, de Marcel Marceau à *La vie est un songe*, allait être montée la comédie en trompe-l'œil du fils préféré, du citoyen d'honneur, de l'illustre compatriote dont la veste avait des revers suffisamment larges pour y épingler autant de médailles que possible. Voilà pourquoi il avait décliné l'offre du ministère de mettre à sa disposition une Mercedes noire blindée aux vitres teintées, d'après la description téléphonique que lui en avait faite une secrétaire à la voix chevrotante, qui devait passer le prendre chez lui, dans la montagne, et le déposer devant les marches du théâtre, juste sous la marquise en fer forgé, comme une jeune demoiselle arrivant au bal où elle va rencontrer son prince charmant. Dans l'après-midi, Mallarino avait gagné le centre au volant de sa vieille Land Rover, qu'il avait laissée dans un parking à l'angle des rues 5 et 19 : il voulait se rendre à pied à son apothéose, comme n'importe quel quidam, apparaître soudain au coin d'une rue et sentir que sa simple présence ébranlait l'air, éveillait les langues, faisait tourner les têtes ; en agissant ainsi, il voulait démontrer qu'il n'avait rien perdu de sa vieille indépendance : il avait encore assez d'autorité pour prendre les siens pour cible, et ni le pouvoir ni les hommages ou les Mercedes blindées aux vitres teintées ne changeraient quoi que ce soit à cette réalité. À présent, sur la chaise du cireur, tandis que la brosse allait et venait sur ses souliers (si vite qu'elle avait pris l'apparence d'une épaisse ligne brune, comme les pales des ventilateurs deviennent des cercles blancs à force de tourner), Mallarino se surprenait à se poser une question qui ne lui était pas venue à l'esprit avant qu'il ait gagné le centre-ville : qu'aurait fait Rendón à sa place ? S'il lui était arrivé la même chose, qu'aurait fait Rendón ? Aurait-il reçu cet hommage avec satisfaction, l'aurait-il accueilli avec résignation ou cynisme ? L'aurait-il refusé ? Ah, mais Rendón l'avait refusé à sa manière : le 28 octobre 1931, il était entré dans l'épicerie-café La Gran Vía, avait commandé une bière et fait un dessin avant de se tirer une balle dans la tempe. Soixante-dix-neuf ans plus tard, personne n'avait encore pu expliquer le pourquoi de son geste.

« Ça fait trois mille cinq cents pesos, monsieur, lui dit le cireur. Parce que vous avez de très grands pieds.

– On me l'a déjà dit.

– Tant mieux pour moi, avec toutes mes excuses.

– C'est vrai, tant mieux pour vous. »

Il fouilla dans les poches de son pantalon, celles de devant et de derrière, avant de fourrager dans son imperméable gris où ses doigts découvrirent, pris dans les effilures comme des poissons empêtrés dans des algues, un reçu et un billet verdâtre usé, sur le point de se déchirer.

« Tenez », dit-il au cireur. « Et gardez la monnaie », ajouta-t-il avec une générosité calculée.

L'homme lissa le billet, tira de sa caisse en bois un vieux portefeuille en cuir et l'y rangea sans le plier, le glissant parmi d'autres avec méticulosité. Il leva ensuite son visage fatigué vers Mallarino, ferma les yeux avec force, les rouvrit :

« Vous voulez qu'on demande, monsieur ?

– Qu'on demande quoi ?

– Si quelqu'un connaît l'homme que vous cherchez. Je vais me renseigner auprès des collègues, ça ne me dérange pas. »

Mallarino lui répondit que ce n'était pas la peine en agitant une main en l'air, comme pour effacer ses dernières paroles, et bredouilla des remerciements. Il appréciait cet homme, sa politesse naturelle, ses bonnes manières. Il représentait une espèce en voie de disparition dans cette Bogotá inélégante, mal embouchée et grossière, l'Athènes sud-américaine qui, pour lui, était plutôt l'À-peine sud-américaine. Qui avait dit qu'à Bogotá même les cireurs de chaussures citent Proust ? Un Anglais, songea Mallarino, seul un Anglais est capable de faire ce genre de déclaration. Cette phrase, bien sûr, avait été prononcée en d'autres temps, dans une autre ville, une ville disparue, une ville fantôme, celle de Ricardo Rendón, celle de La Gran Vía, dont Mallarino aurait pu voir la porte d'entrée quelques décennies plus tôt, sur le trottoir où il venait de s'immobiliser distraitement, à moins d'un pas de la chaussée hostile, le regard perdu entre les minibus aux vitres éclairées. Mais La Gran Vía avait disparu, comme de nombreux magasins et de nombreux cafés. Le fantôme de Ricardo Rendón avait-il surgi par cette porte fantôme ? Ce n'était pas un fantôme, mais plutôt un homme habillé comme Rendón, un homme ressemblant à Rendón, coiffé du même chapeau à large bord, portant le même nœud papillon défait, voilà tout. Sans doute cette vision lui était-elle apparue parce qu'il se trouvait à proximité de La Gran Vía ou de son ancien emplacement, songea Mallarino, ou alors il s'agissait d'un de ces faux souvenirs comme nous en avons tous. La mémoire est vraiment bizarre : elle nous permet de nous souvenir de ce qu'on n'a pas vécu. Mallarino se souvenait parfaitement de Rendón se promenant dans le centre de la ville, retrouvant León de Greiff à El Automático, rentrant chez lui ivre, seul et triste, au petit matin… Des souvenirs fictifs, des souvenirs inventés. Cela n'avait rien d'étonnant : un jour tel que celui-ci, il était impossible que Rendón n'occupe pas ses pensées. *L'homme que vous cherchez.* Non, en fait, il ne le cherchait pas : il s'apprêtait plutôt à le remplacer, à monter sur son trône, à hériter de son sceptre ou à forcer l'emploi de toute autre métaphore idiote, comme celles qu'il avait lues dans les articles d'opinion de gens aussi bien informés que médiocres, aussi mémorieux que lèche-cul. « C'est une pauvre mémoire que celle qui ne fonctionne qu'à reculons » : un souvenir involontaire, une association libre lui avaient mis cette phrase en tête. D'où venait-elle et que voulait-elle dire ? Mais il cessa aussitôt d'y penser, car il venait à nouveau de consulter sa montre et la position des aiguilles avait pris l'allure d'un reproche : il n'allait tout de même pas être en retard à sa propre consécration.

Il remonta la Carrera Séptima à contre-courant, traversa l'avenue Jiménez et la place du Rosario pour s'engager dans le quartier de La Candelaria, contourna les vendeurs qui s'acharnaient à vendre tout ce qu'il était possible de vendre – des cigarettes, de l'or à bas prix, des petites voitures pour les enfants ou des émeraudes taillées, des parapluies ou des lacets, des sucettes avec un chewing-gum à l'intérieur ou des chewing-gums sans sucette, des raisins secs enrobés de chocolat – en songeant qu'au cœur de Bogotá on a toujours l'impression de marcher à contre-courant parce que, l'après-midi, la foule est semblable à un fort vent debout. Décidé à en vaincre la résistance, Mallarino enfonça sa tête dans ses épaules et fourra ses mains dans les poches de son imperméable, dont les profondeurs ne laissaient jamais de le surprendre. Il pensait aux recoins de ce vêtement qu'il croyait parfois n'avoir jamais entièrement explorés quand il entendit un bruit de talons derrière lui ou, plus exactement, quand il prit conscience qu'il avait dû entendre ce bruit après que celui-ci eut cessé de résonner et qu'une main se fut posée sur son épaule avec la délicatesse d'une feuille tombée d'un arbre. En se retournant, interloqué et curieux, il découvrit le visage de Magdalena, sa chevelure si claire que ses cheveux blancs se confondaient avec les blonds, ses fins sourcils arqués et son sourire ironique : un paysage composé de traits qu'autrefois Mallarino connaissait aussi bien que celui qu'il voyait de sa fenêtre.

« J'ai l'impression qu'on va au même endroit », déclara-t-elle.

Il n'y avait aucun ressentiment dans sa voix, mais plutôt une certaine gentillesse, peut-être signe de pardon ou d'oubli (la voix de Magdalena avait toujours été capable de toutes sortes de sortilèges). Mallarino l'embrassa et son parfum lui revint en mémoire, réveillant quelque chose dans son cœur. Il est vrai que la radio où elle travaillait se trouvait tout près de là.

« Moi aussi, j'ai l'impression.

– Si tu veux, je t'accompagne », proposa-t-elle en souriant.

Elle lui prit le bras ou, plutôt, glissa son bras sous celui de Mallarino, comme elle le faisait lorsqu'ils étaient mari et femme et se promenaient dans le centre, à l'époque où ils n'avaient pas encore laissé la vie et ses caprices leur jouer de mauvais tours.

« C'est tout toi, de venir à pied », lui dit-elle.

Elle s'en était rendu compte. Magdalena se rendait toujours compte de tout, il en était ainsi depuis qu'il la connaissait. Ses yeux humides – qui, ce jour-là, pour une raison ou pour une autre, étaient encore plus brillants que dans son souvenir – voyaient tout, rien ne leur échappait.

« Qu'est-ce que tu veux ? lâcha-t-il. À notre âge, on ne change plus. »

Quand ils s'étaient mariés, dans une petite église de village aux murs chaulés dont l'escalier de pierre descendait jusqu'à la place, si escarpé qu'on risquait de s'y tordre la cheville, Mallarino publiait des caricatures depuis un peu moins d'un an – deux par mois quand tout allait bien – dans un journal aux tendances conservatrices et au capital familial, une de ces publications qui, sans occuper le devant de la scène, semblent avoir toujours existé, ne sont pas vendues par les crieurs de journaux mais apparaissent soudain dans les drugstores ou les cafés alors qu'on les croyait oubliées. Ce petit boulot – Mallarino le considérait comme tel avec une pointe de mépris involontaire – ne faisait pas partie de ses grands projets : s'il avait renoncé à ses études d'architecture avant d'avoir terminé la deuxième année, s'il avait refusé d'exploiter les contacts de son père pour travailler sans diplôme dans un bureau d'études prestigieux, c'est qu'il voulait suivre sa véritable vocation, ou plutôt tirer parti de sa virtuosité, car même ses parents durent se rendre à l'évidence et reconnaître son talent le soir où Alejandro Obregón, qui peignait à l'époque sa série de pigeons au troisième étage d'un immeuble situé entre la Carrera 12 et la rue 17, de passage chez eux, se planta devant un nu grandeur nature que Mallarino séchait au sèche-cheveux et lâcha une courte phrase qui eut pour le jeune homme le même effet que l'alternative pour le torero : « Mais où ce gamin a-t-il appris à peindre comme ça ? »

Il était né pour peindre. Son avenir (les fantasmes qui surgissaient dans son esprit lorsqu'on prononçait ce mot) était dans la peinture. Si bien qu'à l'époque les caricatures ne servaient qu'à satisfaire des besoins alimentaires immédiats, à survivre pendant que dans la cour intérieure s'accumulaient des grands formats qui emplissaient la maison d'une odeur de térébenthine et sur lesquels des corps de femmes, versions plus ou moins déguisées de Magdalena, changeaient au gré de la lumière qui entrait par la verrière. Au journal, on le payait mal, avec du retard et à la condition expresse que son dessin ait été publié : il arrivait souvent que Mallarino envoie cinq ou six caricatures par semaine et qu'on les lui retourne à la fin du mois, accompagnées d'une note rédigée par une secrétaire et d'un papier à en-tête où le chef de la rubrique « Opinion » exprimait dans un déluge de mots ses regrets de ne pas pouvoir utiliser sa planche cette fois-ci. À vingt-cinq ans, Mallarino ignorait encore que telle était la pratique en vigueur dans toutes les rédactions du pays ; Magdalena ne le savait pas davantage, mais elle lui suggéra de ne faire qu'une seule caricature et de ne pas en envoyer d'autres tant que la première ne paraîtrait pas.

« Et s'ils ne la publient pas ? demanda Mallarino.

– Eh bien, on attendra qu'ils le fassent.

– Mais si on attend, après, ce sera trop tard. Les caricatures, c'est comme le poisson : si on ne les consomme pas tout de suite, elles ne sont plus bonnes le lendemain.

– Comme tu voudras, ajouta-t-elle en mettant un terme à la conversation. Mais ça aussi, c'est leur problème. »

Évidemment, elle avait raison. Soumis à ce rationnement, le journal fit paraître tout ce que Mallarino lui envoyait et lui demanda même d'augmenter la fréquence de ses livraisons. Pendant cinq mois, la nouvelle situation fut idéale. En août, les présidents de la Colombie et du Chili signèrent une déclaration conjointe dans laquelle les deux pays s'engageaient officiellement à respecter le pluralisme idéologique. Mallarino les croqua tous les deux, le Colombien et son éternel sourire machinal, le Chilien chaussé de lunettes à monture épaisse et aux verres teintés. *Tu sais, mon cher Salvador, en Colombie, peu importe qu'on soit libéral ou conservateur*, lisait-on en première ligne, alors que la seconde disait : *Ce qui compte, c'est d'être de bonne famille*. Mallarino fit le dessin en un seul jet et le déposa tel quel à la loge du quotidien, protégé dans une pochette rigide, elle-même glissée dans un sac en plastique de supermarché (il avait plu). Mais le lendemain, en ouvrant le journal, il découvrit que la deuxième ligne de texte avait disparu et ce fut comme si la terre s'était soudain ouverte sous ses pieds et l'avait englouti. « J'aimerais qu'on m'explique », déclara-t-il l'après-midi dans les bureaux de la rédaction : il avait pris un taxi, estimant que l'urgence de la situation valait bien ce sacrifice, le journal roulé comme une longue-vue, fripé dans sa main moite. Il n'apprécia pas que sa voix tremble ; pour l'éviter, il essaya de hausser le ton sans obtenir de résultats satisfaisants.

« Il n'y a rien à expliquer, lui dit le directeur, un homme avec un double menton de chef de cuisine et de petits yeux ; dans ce visage décousu, la bouche semblait bouger indépendamment des autres muscles. Ne vous énervez pas, Javier, ça arrive tout le temps.

– À qui ? À qui est-ce que ça arrive tout le temps ?

– À tous les caricaturistes. Vous ne vous en êtes jamais aperçu ? Tout le monde sait que parfois il faut faire des coupes. Maintenant, vous allez peut-être me dire que le rédacteur en chef n'a pas cette prérogative…

– Dans un article, peut-être, objecta Mallarino. Pas dans une caricature. »

C'était une piètre défense mais il n'en avait pas trouvé d'autre.

« Dans les caricatures aussi, mon petit, ne soyez pas naïf. Elles aussi sont publiées dans le journal, elles aussi occupent de l'espace. Sinon, qu'est-ce que je leur dis, moi, aux annonceurs, hein, à votre avis, je leur dis quoi ? »

Mallarino ne répondit pas.

« Je leur dirai ça, enchaîna le directeur en se mettant à arpenter la pièce, les pouces glissés dans sa ceinture : écoutez, messieurs les annonceurs, vous qui me versez des millions de pesos par an, j'ai un problème. Je ne peux pas publier vos encarts publicitaires, même si l'argent que vous me donnez me sert à payer le salaire des journalistes. Et vous savez pourquoi, messieurs les annonceurs ? Parce que le dessinateur n'aime pas qu'on supprime ne serait-ce qu'un millimètre de ses caricatures. Peu importe qu'on mette la clé sous la porte, pourvu qu'on ne touche pas à ses dessins. C'est ça, les génies, messieurs les annonceurs, soyez contents de ne pas avoir affaire à eux. Voilà ce que je vais leur dire : les génies sont ainsi faits. Ça vous convient ? »

Mallarino ne répondit pas.

« On arrête de payer les journalistes ou, si vous préférez, on arrête de vous payer, vous. Qu'est-ce que vous en dites ? »

Mallarino ne répondit pas.

« Écoutez, rentrez chez vous, prenez un remontant et calmez-vous : la prochaine fois, on vous appellera pour vous demander la permission, mon petit monsieur. Pour que vous ne piquiez pas votre crise, bon Dieu, ça fatigue tout le monde. »

Il désigna la paroi vitrée de son bureau, une grande fresque de visages faisant comme si de rien n'était, une constellation d'yeux qui louchaient vers eux.

« Regardez-les. On se croirait à la foire. C'est une honte.

– Vous me rendez l'original, s'il vous plaît ? » demanda Mallarino.

Ce furent les derniers mots qu'il lui adressa. Dehors, la ville s'était assombrie – nuages bas, vêtements foncés des passants et bruit métallique des parapluies qui s'ouvraient de partout – et l'averse se déchaîna avant qu'il ait eu le temps de regagner son appartement. Les cheveux plaqués sur le crâne, les épaules tassées par la violence de la pluie, il ne semblait pas avoir conscience de s'être transformé en épouvantail de la *sabana*. *La prochaine fois* : quand il raconta son entrevue à Magdalena, ces trois mots résonnaient dans sa tête, rebondissaient comme les boules métalliques d'une machine de fête foraine.

« La prochaine fois, dit-elle en lui tendant une serviette-éponge mauve, comme si elle lui remettait une déclaration de guerre nécessitant son approbation et sa signature. La prochaine fois. Eh bien, moi, j'ai l'impression qu'il n'y aura pas de prochaine fois.

– Tu crois que c'est aussi simple ? lui demanda Mallarino.

– Aussi simple que tu viens de l'entendre. On va les envoyer se faire voir, leur montrer de quel bois on se chauffe. »

Magdalena n'avait que deux ans de moins que Mallarino, mais elle se comportait dans la vie comme un contremaître dans une hacienda. Elle possédait une intelligence aussi incisive que son obstination, et le fait que son patronyme soit à l'origine d'un légendaire cabinet d'avocats – deux étages recouverts de moquette dans un immeuble en face du Parc national – ne la dérangeait pas, même si elle s'était rebellée contre ce nom, contre son père et les espérances que tous avaient nourries pour elle : au lieu d'entrer à l'université afin de perpétuer la tradition familiale, Magdalena était devenue l'une des actrices de feuilletons radiophoniques les mieux payées du pays ; elle était la voix qui, dans *Kalimán, el hombre increíble*, puis dans *Arandú, el príncipe de la selva*, envoûtait sur le coup de midi toute la Colombie. Elle en était venue à jouer dans ces mélodrames de façon toute naturelle, car très jeune elle lisait déjà des réclames et les agences de publicité avaient commencé à se disputer les privilèges de sa voix. La voix de Magdalena : à la fois rauque et claire, une de ces voix capables de figer la main qui tourne le bouton pour changer de fréquence, une voix qui traduit le chaos du monde et transforme son jargon obscur en langage diaphane. « Un violoncelle doué de parole », disait Mallarino, et voilà que maintenant cette voix de violoncelle s'écriait : *On va les envoyer se faire voir*, et Mallarino pensait *oui, qu'ils aillent se faire voir*, et aussi *on va leur montrer de quel bois on se chauffe*. L'expérience lui avait appris que les moments les plus difficiles perdaient de leur dramatisme dès lors que Magdalena prenait la parole, et c'est ce qui était arrivé ce fameux après-midi : après leur conversation, après la douche chaude que Mallarino prit pour effacer le souvenir de la pluie glacée, après une petite partie de jambes en l'air improvisée et un repas dûment mitonné, tout était clair à ses yeux.

Magdalena emporta dans la cuisine les assiettes, les couverts et les sets de table en sisal coloré et Mallarino alla chercher du papier, une plume et un flacon d'encre qu'il posa au milieu de la table encore chaude à l'emplacement des plats en Pyrex. En vingt minutes, pendant que la jeune femme mettait les restes dans des récipients et les recouvrait d'une feuille d'aluminium méticuleusement coupée, il dessina à toute vitesse un autoportrait qu'il glissa dans une enveloppe avec la caricature des deux présidents. Il trouva amusant de se croquer pour la première fois : sa calvitie précoce, sa barbe noire et fournie héritée de son père, ses grosses lunettes rectangulaires, semblables à deux petits cadres en acétate noir qui ne parvenaient pas à dissimuler ses yeux méfiants, son regard empreint d'une expression désemparée savamment étudiée. À la place de la bouche, il esquissa un bâillon ; sous le dessin, il écrivit une première ligne : *L'oligarchie n'aime pas qu'on parle d'elle*, puis une seconde : *Il ne faudrait pas qu'on s'aperçoive qu'elle est toujours là.* L'enveloppe contenait un autre document : une lettre manuscrite adressée à Pedro León Valencia, un homme aux fortes convictions, directeur d'*El Independiente*, le quotidien libéral le plus ancien du pays. « Je vous propose un lot », avait écrit Mallarino de sa belle calligraphie pour diplômes, ajoutant ces mots dictés par Magdalena : « Je vous envoie une caricature originale, une caricature censurée et une caricature sur la censure. Si vous les publiez ensemble, tout est à vous ; sinon, renvoyez-moi ce courrier et je chercherai un autre journal. » Magdalena insista pour déposer le pli, elle ne voulait pas que Mallarino ait l'air de quémander (elle ne perdait jamais de vue le type de stratégies presque militaires qu'il fallait déployer dans la vie en société) et, dans le courant de l'après-midi, les deux téléphones de l'appartement se mirent à sonner en chœur, comme hystériques. C'était le chef de la rubrique « Opinion », un individu que Mallarino avait déjà rencontré et qu'il n'avait jamais apprécié, une éternelle victime incapable d'annoncer une bonne nouvelle sans trahir son mécontentement à l'idée que la vie puisse sourire à son prochain. Mallarino comprit aussitôt qu'il l'appelait pour lui annoncer quelque chose de positif : il le sentait à son ton hostile, à ses phrases aux syllabes courtes, comme tranchées à la machette, et il s'étonna que sa rancœur ou sa jalousie ne le fassent pas postillonner dans le combiné.

« Le directeur du journal veut vous proposer un poste fixe, lui dit-il.

– Mais ça ne m'intéresse pas, répondit Mallarino. Je ne veux être sous les ordres de personne.

– Ne soyez pas stupide, Mallarino. Tous les dessinateurs rêvent d'être embauchés. Ça veut dire un salaire à la fin du mois, je ne sais pas si vous comprenez.

– Je comprends, rétorqua Mallarino, mais ce n'est pas ce que je souhaite. Donnez-moi la même somme sans m'embaucher et je vous promets de ne pas travailler pour la concurrence. De votre côté, promettez-moi de publier tout ce que je vous enverrai, même si c'est contre vos amis. Parlez-en à votre directeur et faites-moi savoir ce qu'il en pense. »

C'était un pari risqué, mais qui porta ses fruits : les trois dessins parurent le lendemain et, sous l'apparence provisoire de petites vignettes cocasses, attirant de manière très éloquente l'œil du lecteur au centre de la page, ils cessèrent d'être la protestation d'un jeune artiste prétentieux pour devenir le récit élaboré de la trahison médiatique, une condamnation de la censure et un pied de nez magistral à la vulnérabilité de la bourgeoisie, tout en étant signés de la main d'un de ses enfants les plus représentatifs. « Ton mari est devenu fou, dit le père de Magdalena à sa fille, à croire qu'il est passé dans le camp des communistes. » Elle transmit le message à Mallarino en levant le sourcil gauche, un petit sourire en biais, le visage animé d'une expression de satisfaction évidente qui, dans la pénombre de leur chambre, à la fin d'une journée pleine de tensions et d'angoisses, lui sembla presque érotique. Mallarino alluma la radio avec l'intention de capter une rediffusion de *Kalimán*, mais Magdalena, qui détestait s'entendre, se boucha les oreilles en faisant de grands gestes outrés, et il dut changer de station. Magdalena ne se reconnaissait pas quand elle écoutait le feuilleton auquel elle participait : ce n'était pas sa voix, disait-elle, une conspiration nationale attendait qu'elle ait quitté le studio pour enregistrer de nouveau l'émission avec une autre actrice plus expérimentée. Mallarino écarta le bras et elle posa la tête sur son torse, l'enlaça et émit des petits miaulements qu'il ne parvint pas à interpréter. Après quelques secondes de silence, il se rendit compte que le corps de Magdalena s'était alourdi – son avant-bras, son coude, sa tête qui sentait le propre –, et il comprit qu'elle s'était endormie. À la radio, il tomba sur la retransmission d'un match de football et, avant de s'assoupir lui aussi, bercé par les légers ronflements de sa femme et la cantilène monotone des commentateurs, il eut le temps de suivre deux buts d'Apolinar Paniagua et de songer à quelque chose sans rapport avec eux, mais qui concernait les dessins envoyés à *El Independiente* : il n'aurait rien pu prouver dans ce sens ni su dire comment et pourquoi, mais il pressentait que la place qu'il occupait dans le monde venait de changer radicalement.

Il ne se trompait pas. À cet instant débuta la période la plus intense de son existence, dix ans au fil desquels, après avoir vécu dans l'anonymat, il se fit une réputation, puis accéda à la notoriété au rythme d'une caricature par jour. Son travail marquait les temps forts de sa vie à la manière d'un métronome : ainsi, comme d'autres ont pour repères les dates des coupes du monde de football ou les sorties cinématographiques, Mallarino associait chaque événement important à la caricature à laquelle il travaillait à ce moment précis (les pommettes saillantes du visage sans yeux du guérillero Tirofijo[1], qui avait enlevé le consul des Pays-Bas, lui évoqueraient à jamais le premier cancer de son père ; le menton inexistant et la peau flasque du cou de Francisco Franco malade, la naissance de sa fille Beatriz). Sa routine était immuable. Il se levait peu avant les premières lueurs de l'aube et, pendant qu'il se préparait un café, il entendait le bruissement des journaux glissés à demi sous la porte, les pas prudents du concierge qui s'éloignait, la machinerie de l'ascenseur – sa plainte électrique affligée – revenant à la vie. Il lisait la presse debout devant le plan de travail de la cuisine, les pages des journaux bien déployées afin de pouvoir entourer les sujets intéressants d'un brusque trait de fusain. Quand il avait terminé, alors que la lumière froide des matins andins entrait timidement dans le salon, il emportait le transistor dans la salle de bains pour écouter les informations en s'adonnant aux plaisirs consécutifs de la défécation et de la douche, un rituel qui nettoyait ses intestins, mais surtout sa tête en la vidant de toutes les ordures accumulées la veille, de toutes les critiques supposément intelligentes mais en réalité pleines de rancœur, de tous les avis qui auraient dû simplement lui paraître sots et qu'il jugeait criminels, de tous les heurts avec ce pays vindicatif vis-à-vis de ses habitants, où l'on encensait la médiocrité et

1. Manuel Marulanda, dirigeant des Forces armées révolutionnaires colombiennes (FARC), décédé en 2008. *(Toutes les notes sont de la traductrice.)*

abhorrait l'excellence. Sous la douche, quand l'eau chaude ruisselait sur sa peau et provoquait de délicats frissons en resserrant ou en dilatant les pores, il arrivait que certains mots prononcés à la radio lui échappent, mais grâce à son imagination il les devinait ou les pressentait, et quand il fermait le robinet et faisait coulisser la porte – ce qui lui coûtait deux ou trois mouvements supplémentaires car le vantail en aluminium se bloquait inévitablement dans le rail – il avait l'impression d'avoir tout compris. Quelques secondes plus tard, lorsqu'il quittait l'univers embué de la salle de bains, le dessin était déjà réalisé dans sa tête et il n'avait plus qu'à l'exécuter. C'était, et il en serait encore longtemps ainsi, le moment le plus heureux de sa journée : une demi-heure, une heure, parfois deux, au cours desquelles rien n'existait hormis l'aimable rectangle de bristol et l'univers qui y naissait peu à peu, inventé ou créé par les taches et les lignes, les va-et-vient de l'encre de Chine. Au fil de ces minutes, Mallarino en arrivait même à oublier l'indignation, l'irritation ou le simple désir de contestation qui étaient à l'origine du dessin et, comme lorsqu'il faisait l'amour, toute son attention se concentrait sur un détail qui avait attiré son regard – des oreilles, des dents trop grandes, une mèche de cheveux, un nœud papillon délibérément ridicule – en dehors duquel rien ne comptait. Ce total abandon n'était rompu que si le dessin se révélait difficile ou s'il lui résistait : en ces rares occasions, Mallarino s'enfermait dans les toilettes réservées aux visiteurs, un numéro de *Playboy* dans la main gauche, et une masturbation rapide le mettait en forme pour mener à terme son combat contre le dessin, dont il sortait toujours victorieux. Quand il avait fini, il se levait, reculait d'un pas et étudiait la feuille de bristol à la manière d'un général devant un champ de bataille ; puis il signait, et ce n'est qu'à cet instant que le dessin commençait à faire partie du monde des choses réelles. En vertu d'un sortilège bien pratique, ses caricatures ne portaient pas à conséquence tant qu'il y travaillait, comme si elles n'étaient destinées à personne et n'existaient que pour lui seul, et ce n'est qu'en les signant que Mallarino prenait conscience de ce qu'il venait de faire ou de dire. Il glissait alors le bristol dans l'enveloppe, évitant de le regarder – « comme Persée mettant la tête de Méduse dans le sac », dirait-il des années plus tard à un journaliste –, plaçait l'enveloppe dans une mallette en cuir défraîchi que Magdalena lui avait achetée sur un marché aux puces et prenait l'autobus pour se rendre dans les locaux du journal, une sorte de bunker dont les occupants, des femmes de ménage aux photographes, paraissaient tous de la couleur du béton ; il y laissait l'enveloppe et reprenait le cours de son existence sans trop savoir à quoi occuper ses mains, comme dépossédé, se demandant pour quelle raison il continuait de faire ce qu'il faisait, quel effet véritable aurait sa caricature sur le monde trouble et lointain qui commençait au bord de sa table à dessin, ce précipice en bois précieux. Ressentait-il du désappointement, une simple déstabilisation, de l'ennui ? Tombait-il dans le vieux piège de la mélancolie en puisant dans le flacon une bile aussi noire que son encre de Chine ? Le monde qui l'environnait changeait : Pedro León Valencia avait cédé la direction du journal à son fils aîné et Mallarino dut reconnaître que le plaisir qu'il éprouvait à travailler pour *El Independiente* était en partie lié au fait qu'il servait une légende, qu'il était la découverte ou l'invention d'une légende. Quand le charme de la nouveauté s'estompa au fil des années et qu'il eut perdu l'élan égocentrique qui le poussait à ouvrir chaque matin le journal pour y voir son nom écrit noir sur blanc, Mallarino se demanda s'il avait valu la peine de renoncer à ses toiles et à sa peinture pour cette décharge d'adrénaline qu'il n'avait plus, pour les réactions imaginaires de lecteurs imaginaires qu'il n'avait jamais rencontrés, pour la vague et sans doute fausse sensation d'importance qui ne lui procurait que des contrariétés d'ordre personnel : des membres de sa famille le saluaient avec moins de tendresse qu'auparavant, des couples d'amis ne l'invitaient plus à dîner chez eux. À quoi bon ?

Puis, en une journée stupéfiante, il reçut la réponse à toutes ses questions. L'après-midi, il avait pris l'habitude d'aller se promener dans le centre-ville ; il achetait pour sa fille les vignettes absurdes d'un album absurde que Magdalena s'obstinait à vouloir compléter, se faisait cirer les chaussures et parlait politique avec les cireurs ou se contentait simplement de regarder la vie avec une sorte d'appétit qui l'incitait à rester dehors au lieu de regagner l'espace clos où il avait passé la matinée et, une fois dans la rue, à retirer sa veste, à sentir sur ses bras le frôlement d'autres bras et dans ses narines l'odeur des corps vivants, la nourriture dont ils s'alimentaient et l'urine qu'ils répandaient dans les coins. C'était un mardi, le jour où Mallarino se rendait à l'immeuble d'Avianca pour récupérer son courrier dans sa boîte postale (un casier métallique gris et profond qui lui procurait des joies indicibles, semblables à celles d'un enfant devant le chapeau d'un magicien) et s'installer ensuite dans n'importe quel café du quartier pour lire les magazines et répondre aux lettres. Il arrivait sur la Carrera Séptima à hauteur de la Bibliothèque nationale et, de là, sans quitter le trottoir côté est, marchait vers le sud, tantôt concentré sur la ville bruyante, désordonnée et envahissante, tantôt si distrait que l'immeuble se dressait tout à coup devant lui, avec ses longues lignes droites pointées vers le ciel et frappées par beau temps d'une lumière intense qui ne semblait pas de ce monde. Quand il pénétrait dans le hall, sa main avait déjà trouvé son trousseau au fond de sa poche et isolé à tâtons la clé ouvrant le casier, pour ne pas avoir à la chercher parmi les autres devant le mur où les boîtes postales s'alignaient comme les niches d'un cimetière. Ce jour-là, Mallarino procéda ainsi qu'il l'avait toujours fait : il se fraya un passage dans les couloirs (dont l'éclairage blafard creusait des cernes sous les yeux des gens), se dirigea vers le casier gris, tendit le bras et sa main, précise, cette même main qui pouvait dessiner avec exactitude des angles à quatre-vingt-dix degrés sans avoir besoin d'instrument, inséra la clé dans la serrure comme un chevalier médiéval aurait enfoncé la pointe de sa lance dans la poitrine de son adversaire. Mais la clé n'entra pas.

Il songea tout d'abord qu'il s'était trompé de boîte, s'approcha du casier et passa un à un en revue les chiffres de l'étiquette métallique, les mêmes que d'habitude, qu'il connaissait par cœur. C'était bien sa boîte postale. Le fin mot de l'histoire lui apparut plus tard, comme un invité négligent : une ombre ou une texture bizarre l'incita à examiner de près la surface grise, et ce n'est qu'à quelques centimètres de la serrure qu'il se rendit compte qu'on l'avait obstruée avec du chewing-gum. La gomme avait durci (elle devait être là depuis plusieurs jours) et s'était méticuleusement insinuée dans les moindres interstices, sans dépasser : un travail effectué avec beaucoup de soin. Mallarino appuya la pointe de la clé sur la pâte, essaya de l'enfoncer, gratta légèrement, frappa comme un tailleur de pierre, sans grand résultat : le chewing-gum sec était indélogeable.

« Ouh là là, mais qu'est-ce qu'on vous a fait ? » s'exclama quelqu'un.

Mallarino tourna la tête et vit une dent en or scintiller dans un visage mal rasé.

« La serrure est fichue, les gens ne respectent plus rien aujourd'hui. »

Mallarino s'empressa de gravir les marches jaspées de l'escalier, se dirigea vers un guichet, montra sa carte d'identité à une petite femme qui consulta des registres, ouvrit et referma des tiroirs, sortit d'un lieu imprécis la photocopie d'un formulaire et lui demanda s'il comptait régler en espèces ou par chèque, sourde à ses protestations et à ses explications ; non, il n'avait pas perdu sa clé, on avait mis du chewing-gum dans sa serrure, mais la femme lui disait que c'était pareil et répétait sa question : en espèces ou par chèque ? Il y eut ensuite des cachets à l'encre violette, des copies carbone, des reçus aux couleurs pastel, puis du temps perdu sur une chaise en plastique dure et inconfortable, jusqu'à ce qu'un cri ébranle les murs de ciment :

« Mallarino ? Javier Mallarino ? »

Un serrurier maigre à la mine affligée – son bleu de travail sentait le linge mal séché – l'accompagna devant le casier rebelle, tira de sa ceinture en cuir une série d'outils en métal que Mallarino n'aurait pas su nommer et qui étincelèrent sous les néons, et l'opération suivante consista à forcer la serrure, ce que Mallarino ressentit comme un viol, une pénétration brutale et traîtresse dans son intimité, même s'il avait donné son autorisation et son consentement, même s'il assista à la scène du début à la fin. La capitulation de la serrure, la gifle de la petite porte qui s'ouvrait et la vulnérabilité de sa collection de magazines lui furent douloureuses. La pile d'imprimés semblait le regarder d'un air suppliant au fond du casier sombre : il y avait là les derniers numéros d'*Alternativa* et du *New Yorker* ainsi qu'un exemplaire du *Canard enchaîné*, envoyé par un collègue parisien, qu'il recevait toujours avec du retard. Il fut tenté de partir, de retrouver au plus vite son appartement, son refuge, la compagnie de ses lectures, d'une bière, sentant ou devinant la présence rassurante de sa femme et de sa fille. Mais il dut rester, attendre que la serrure neuve soit installée, prendre les nouvelles clés, signer d'autres documents et glisser plusieurs pourboires dans des mains anonymes avant de regagner la Carrera Séptima, sa mallette en cuir défraîchi contre sa poitrine, la nuque moite et les yeux fatigués par tant d'obscurité.

Plus tard, il se dit que c'était dû à la fatigue, au sentiment de déstabilisation qu'il éprouvait toujours après avoir lutté contre l'absurde bureaucratie de ce pays, ou encore à la couleur blanche de l'enveloppe, un blanc immaculé sans adresse, sans la moindre ligne d'écriture, sans timbre, sans la strie rouge et bleue des lettres venant de l'étranger. Il avait commencé à sortir les magazines de sa mallette (impatient de les feuilleter) et avait encore la main à l'intérieur, ses doigts s'agitant comme pour consulter un fichier, la tête penchée vers le bas pour apprécier les couvertures, quand il vit une pointe affleurer entre les pages de papier glacé. Il s'arrêta au milieu du parc, inspecta l'enveloppe des deux côtés, l'ouvrit. Le texte était écrit à la machine, sans mention de date ni de lieu :

> *Javier Mallarino, avec vos déformations de la vérité, vous avez attaqué et terni l'image des Forces Armées de notre République en faisant le jeu de l'ennemi, vous êtes un MENTEUR et un APATRIDE et nous vous signifions que la patience de ceux qui sont LOYAUX envers notre cher pays est en train de s'épuiser, nous savons où vous habitez et connaissons l'école de votre fille, nous n'hésiterons pas à intervenir avec la plus grande dureté si vous attentez de nouveau à notre honneur.*

À la dernière ligne, penché à droite, sans un *Cordialement*, sans un *Bien à vous*, sans un *Salutations distinguées*, s'étalait un mot, un seul, un cri poussé depuis la page : « PATRIOTES ».

La première chose qu'il fit de retour chez lui fut de montrer la lettre anonyme à Magdalena, et il comprit qu'elle était vraiment inquiète en l'entendant se moquer du piètre talent rédactionnel et de la syntaxe de l'auteur. Tous deux tentèrent de se rappeler quelle avait été sa dernière caricature mettant en scène un militaire ; ils durent revenir six semaines en arrière pour trouver une série de trois dessins où un cheval à la mine inconsolable discutait avec une femme qui manipulait des structures en fer. Mallarino avait inventé ce scénario après que Feliza Bursztyn, sculpteur de Bogotá célèbre pour ses œuvres réalisées avec de la ferraille, avait été accusée de se livrer à des activités subversives, emprisonnée dans les écuries de l'armée, molestée, humiliée et contrainte à l'exil. Magdalena et Mallarino disposèrent les originaux sur le grand canapé du salon et les étudièrent longuement, comme s'ils espéraient les voir disparaître de leur passé récent. Ce soir-là, ils eurent si peur qu'ils installèrent un matelas par terre, dans leur chambre, sur lequel ils couchèrent la petite Beatriz, qui venait de fêter ses six ans, et la famille dormit ainsi, entassée dans un espace trop petit, respirant toute la nuit un air vicié, le verrou de sécurité bien tiré sur la porte en aggloméré. Ils vécurent ensuite des jours de paranoïa, regardaient derrière eux quand ils marchaient dans les rues du centre, regagnaient leur domicile avant le coucher du soleil et, plus tard, quand la menace sombra peu à peu dans l'oubli, ils gardèrent néanmoins en mémoire la réaction de Rodrigo Valencia, qui avait éclaté de rire au bout du fil lorsque Magdalena avait téléphoné dès le lendemain à la rédaction du journal pour l'informer de la réception de la lettre et de son contenu. Le combiné plaqué contre l'oreille, elle avait froncé les sourcils avant de transmettre fidèlement le message à Mallarino :

« Rodrigo te félicite, tu es enfin à ta place. Parce que, dans ce pays, on ne devient quelqu'un que lorsque quelqu'un d'autre cherche à te faire du mal. »

Dans le dégagement côté jardin, caché par les frises, Mallarino attendait. Les organisateurs de la cérémonie lui avaient demandé de ne pas bouger avant d'être annoncé, et lui, obéissant, se distrayait en observant le velours des rideaux et les veinures des planches, mais aussi les techniciens qui s'activaient tout en évitant de se heurter aux châssis, aux câbles dont il ignorait à quoi ils pouvaient bien servir, aux accessoires abandonnés comme des vestiges d'anciennes batailles. Le théâtre Colón était plongé dans la semi-obscurité. Le public, ce public qui était venu pour le voir, regardait fixement au fond de la scène diverses images projetées sur un écran tandis que la voix d'un commentateur professionnel lisait sa biographie sur un fond musical assez mièvre. Mallarino essaya de se pencher sans être vu. Malgré l'angle impossible dans lequel il était placé, il se reconnut peignant dans la cour de ses parents, parlant avec le président Betancur, accueillant des cameramen qui tournaient un documentaire chez lui, dans la montagne, ou prenant la pose à côté d'un vieux dessin le jour de la première rétrospective de ses œuvres, au début des années 1990. C'était une caricature de Gorbatchev ; Mallarino s'en souvenait comme s'il l'avait faite la veille : sur la tête chauve du modèle, à la place de la tache de naissance déjà célèbre, figuraient les cartes du Nicaragua et de l'Iran. Derrière Gorbatchev, comme s'il le surveillait, un Ronald Reagan soucieux et méditatif se demandait avec l'accent américain : *Et ces Russes, ils Iran-Contra nous ?* Réaliser le dessin lui avait pris un peu plus d'une heure, mais le jeu de mots trop facile du texte ne l'avait jamais entièrement satisfait et, à présent, il revivait cette insatisfaction et rédigeait dans sa tête de nouveaux brouillons, tentait différentes combinaisons des mêmes mots, cherchait des calembours moins évidents. Il était plongé dans ces pensées quand on l'appela et qu'il dut monter sur scène, subir l'assaut des projecteurs, entendre les applaudissements enfler comme un coup de vent, puis crépiter à la manière d'une violente averse.

Mallarino leva une main en guise de salut ; ses lèvres bougèrent imperceptiblement. Il vit sa chaise vide dans une sorte de brouillard, il vit des visages lui souhaiter la bienvenue, des mains qui se tendaient, prévenantes, pour serrer la sienne et reprendre aussitôt leurs applaudissements, aussi rapides que celles d'un cireur frottant un soulier. Fidèle à une vieille habitude – mais d'où lui venait-elle, quand l'avait-il prise ? –, il tira de sa poche de poitrine deux plumes et son crayon pour faire quelques croquis et les disposa sur la table en trois lignes parfaitement parallèles. La salle était comble ; en un éclair, deux spectacles auxquels il avait assisté lui revinrent à l'esprit : un concert des Luthiers et une zarzuela qu'il avait beaucoup aimée, même si Luisa Fernanda avait fait un couac dans la première chanson. Il chercha des yeux la loge qu'il avait occupée à l'époque, la quatrième à droite de la présidentielle, et y aperçut un groupe de six jeunes gens qui l'applaudissaient debout. Ce n'est que lorsque le public se fut peu à peu assis, dessinant de délicates ondulations pareilles à des vagues sur la mer, qu'il se rendit compte que tous les spectateurs s'étaient levés à son entrée. Au premier rang, Rodrigo

Valencia avait les mains jointes sur le ventre et ses coudes empiétaient sur les fauteuils voisins : Valencia donnait toujours l'impression que les sièges étaient trop petits pour lui. Une voix résonna dans les haut-parleurs. Mallarino se demanda d'où elle provenait et regarda l'extrémité de la table, puis le pupitre en bois bon marché orné du blason de la Colombie. Derrière, la ministre – Mallarino l'avait déjà vue aux journaux télévisés et avait lu ses discours : elle avait des intentions aussi honorables que son ignorance était grande – venait de prendre la parole :

« Quand on me demande comment est l'ancien président Pastrana, ou comment étaient Franco ou Arafat, l'image qui se forme dans ma tête n'est pas une photo, mais une caricature de Javier Mallarino. L'idée que j'ai de nombreuses personnes me vient de ses dessins, pas de ce que j'ai vu. Il est possible, non, il est certain qu'il en va de même pour la plupart des gens assis dans cette salle. »

Mallarino l'écoutait, les yeux fixés sur la table, percevant le regard des autres à la manière d'une main posée sur lui, jouant avec un anneau inexistant : celui qu'il avait porté autrefois à l'annulaire gauche et dont il sentait encore la présence, comme les amputés sentent le membre dont ils sont privés.

« En quelque sorte, poursuivit la ministre, être caricaturé par Javier Mallarino, c'est avoir une vie politique. Le politicien qui disparaît de ses dessins cesse d'exister. Il part dans un monde meilleur. Beaucoup de mes connaissances me l'ont d'ailleurs dit : après Mallarino, la vie est bien meilleure. »

Ce bon mot fut salué par les rires brefs de l'assistance.

Cette petite bonne femme avait le sens de l'humour, songea Mallarino en levant la tête et, à cet instant, comme la mention de notre nom au milieu d'une page attire notre attention, il croisa le regard lumineux de Magdalena dans le public souriant. Elle aussi souriait, mais son sourire était mélancolique, c'était celui des choses perdues. Qu'en était-il de sa vie ? Ils n'avaient pas parlé sérieusement depuis de longues années : avec autant de solennité que pour signer un traité international, ils avaient décidé que se révéler mutuellement leur intimité ne ferait que compliquer la situation, accélérer comme sous l'effet d'une bactérie la décomposition de leurs bons souvenirs, empoisonner la vie de Beatriz, qui avait souffert le martyre pendant l'adolescence car elle se croyait responsable de tous les malheurs familiaux, et qui ensuite s'était lancée dans une fuite en avant résolue et précipitée. Mallarino estimait que les choix de Beatriz – son mari issu d'une famille catholique de province, sa carrière de médecin humanitaire – n'étaient qu'un moyen sophistiqué d'échapper à ses proches, à ce patronyme qui suscitait toujours des réactions embarrassées, mais aussi à la douloureuse expérience d'avoir été l'enfant d'un couple brisé ou raté. Le seul point noir de cette soirée était l'absence de Beatriz qui, dans la semaine, avait comme par hasard décidé de faire un voyage imprévu à La Paz et en entreprendrait un autre quelques jours plus tard, mieux planifié et mûrement réfléchi, dans un village d'Afghanistan au nom imprononçable. Entre les deux, elle passerait le voir ou l'appellerait pour qu'ils déjeunent ensemble et, après sa visite ou le repas, Mallarino saurait qu'il se retrouverait ensuite pendant des mois dans un désert de solitude où il serait privé de sa présence. La ministre s'était mise tout à coup à parler de vases grecs et de traits essentiels, prononçait les mots *symbole*, *allégorie* et *attribut*, pendant que Mallarino songeait à un séminaire sur le journalisme d'opinion – à l'intitulé pompeux et aux invités grandiloquents – où, lorsqu'on lui avait demandé ce qu'il souhaitait changer dans sa vie, il avait immédiatement pensé à sa relation avec Beatriz.

« Au fil du temps, de ces quarante années qui sont aujourd'hui un motif de célébration, enchaînait la ministre, les dessins de Javier Mallarino sont devenus plus tristes. Ses personnages se sont durcis. Son regard s'est fait plus intransigeant, plus critique. Et ses caricatures sont désormais pour la plupart incontournables. Je n'imagine pas une vie sans la caricature quotidienne de Javier Mallarino, mais je n'imagine pas non plus qu'un pays puisse se permettre de ne pas avoir un artiste tel que lui. »

Mallarino admit que cette dernière phrase était belle : qui lui écrivait ses discours ?

« Voilà pourquoi nous lui rendons aujourd'hui cet hommage en témoignage de notre humble reconnaissance envers un artiste qui est devenu la conscience critique de notre pays. Ce soir, nous vous remettons la plus prestigieuse de nos décorations, mais nous vous offrons aussi autre chose, cher Javier Mallarino, une petite surprise que nous vous avons réservée. »

Derrière la table, au fond de la scène apparut de nouveau l'écran blanc du début, sur lequel fut projetée une image : la caricature que Mallarino avait faite de lui quarante ans en arrière, l'autoportrait ironique qui lui avait servi à combattre la censure et à débuter sa carrière à *El Independiente*. Mais sur l'écran l'image avait un cadre dentelé, et sur le visage barbu de Mallarino, à hauteur de ses lunettes, on lisait un prix. Il s'agissait d'un timbre.

« Monsieur Mallarino, dit la ministre, je vous prie d'accepter le premier exemplaire du nouveau timbre de la Poste colombienne, pour que, dorénavant, les lettres qui seront affranchies dans nos villes rendent elles aussi hommage à votre vie et à votre œuvre. »

Elle s'écarta alors du micro et du pupitre et se dirigea vers lui. Mallarino vit sa longue chevelure rebondir sur ses épaules, sa poitrine se soulever sous l'effet de sa respiration nerveuse, et il entendit tinter ses fins bracelets lorsqu'elle lui tendit un cadre noir. En vertu d'une vieille déformation, il ne put s'empêcher d'étudier la moulure du bois, le verre mat et le carton plume. Le timbre se trouvait au centre d'un immense espace noir aussi profond qu'un ciel nocturne. Le cadre changea de mains et un tonnerre d'applaudissements se déchaîna à nouveau. Mallarino sentit un léger chatouillis sur la nuque et une contraction à l'estomac. En s'approchant du pupitre orné du blason de la Colombie dont les côtés saillants ressemblaient, vus de derrière, aux oreilles d'une chauve-souris, il se rendit compte qu'il était ému.

« Quarante ans, dit-il en s'inclinant vers le micro qui le toisait, semblable à un œil de mouche. Quarante ans et plus de dix mille caricatures, et laissez-moi vous dire que je n'y comprends toujours rien. Ou alors, c'est que rien n'a tellement changé. Je me dis à présent que, pendant ces quarante années, deux choses au moins sont restées telles quelles : tout d'abord, ce qui nous inquiète ; ensuite, ce qui nous fait rire. C'est toujours pareil, comme il y a quarante ans, et je crains fort qu'il en soit de même dans les quarante prochaines années. Les bonnes caricatures ont un rapport particulier au temps, notre temps. Les bonnes caricatures cherchent et trouvent les caractéristiques d'une personne : ce qui ne change pas, ce qui demeure et nous permet de reconnaître des gens que nous n'avons pas vus depuis des lustres. Les années passeront et Tony Blair aura toujours de grandes oreilles et Turbay un nœud papillon. On les en remercie. Quand un nouvel homme politique possède un de ces traits distinctifs, on se dit immédiatement : qu'il se dépêche de faire quelque chose pour que je puisse le mettre en scène et que cette particularité perdure dans la mémoire du monde. On se dit : pourvu qu'il soit malhonnête, imprudent et mauvais politicien, sinon je ne pourrai pas souvent l'utiliser. »

Des rires étouffés parcoururent la salle, feutrés comme la rumeur qui précède un scandale.

« Bien sûr, certains politiciens n'ont pas de traits : ce sont des visages absents. Ce sont les plus difficiles à caricaturer parce qu'il faut les inventer, alors je leur rends service : ils n'ont pas de personnalité et je leur en donne une. Ils devraient m'en être reconnaissants. Je ne sais pas pourquoi, ils ne le sont presque jamais. »

Une cascade de rires s'éleva dans le théâtre. Mallarino attendit que le public observe de nouveau un silence respectueux.

« Presque jamais, non. Mais il faut s'enlever de la tête que c'est important. Les grands caricaturistes n'attendent d'applaudissements de personne, ils ne dessinent pas pour cela : ils dessinent pour déranger, incommoder, être insultés. On m'a insulté, on m'a menacé, on m'a déclaré *persona non grata*, on m'a interdit l'entrée de certains restaurants, on m'a excommunié. Et j'ai toujours réagi de la même manière, ma seule réponse aux plaintes et aux agressions a été la suivante : les caricatures peuvent forcer la réalité, pas l'inventer. Elles peuvent déformer, jamais mentir. »

Mallarino marqua alors une pause théâtrale, attendit des applaudissements qui, en effet, fusèrent. Il leva la tête, regarda le poulailler et se rappela avoir été assis là, à dix-huit ans, la première fois qu'il avait amené une petite amie au Colón (pour y voir *Un ballo in maschera*), puis il baissa les yeux vers l'orchestre, cherchant Magdalena, désireux de lire sur son visage l'admiration qu'elle lui avait un jour témoignée, cette admiration inconditionnelle dont il s'était nourri et qui, en d'autres temps, avait été son objectif, mais son regard tournoya dans le vide comme une mite.

« Ne mourez jamais, Mallarino ! »

La femme qui avait crié était assise quelque part dans les premiers rangs, peut-être à sa gauche, tirant Mallarino de sa rêverie. Elle avait une voix mûre, sans doute éraillée par la cigarette ou une vie passée à crier dans les théâtres, et son ton péremptoire déclencha l'hilarité générale.

« Jamais », répéta quelqu'un au fond de la salle.

Mallarino craignit un instant que sa soirée d'hommage ne se change en meeting politique.

« Ricardo Rendón, mon maître, s'empressa-t-il de continuer, a comparé un jour la caricature à un aiguillon enrobé de miel. J'ai cette phrase au-dessus de ma table de travail, un peu comme un marin a sa boussole. *Un aiguillon enrobé de miel.* L'identité du caricaturiste dépend de ces deux ingrédients, de leur dosage lorsqu'il les mélange. Sans aiguillon, pas de caricature ; sans miel non plus. Il n'y a pas non plus de caricature sans subversion, car toute image mémorable d'un politicien est par nature subversive : elle retire son équilibre à l'homme solennel et dénonce l'imposteur. Mais il n'y a pas davantage de caricature sans un sourire, même amer, sur le visage du lecteur… »

Mallarino prononçait ces mots quand son regard à la dérive croisa les yeux de Magdalena, ses sourcils fins qui étaient les seuls à s'arquer de cette manière, comme elle le faisait à présent, quand elle était véritablement attentive : elle était de ces femmes qui ne peuvent feindre l'intérêt, pas même par coquetterie. Mallarino fut pris d'un besoin soudain, du désir brusque de descendre et d'être à ses côtés, d'entendre sa voix qui n'était pas de ce monde, de chuchoter avec le passé. Il fronça les sourcils (voilà que revient l'histrion, songea-t-il, endossant de nouveau son rôle de composition) et approcha sa bouche de l'œil de mouche du micro.

« J'aimerais vous quitter en vous rappelant une évidence qu'on a souvent tendance à oublier : la vie est le meilleur caricaturiste qui soit. La vie façonne notre propre caricature. Vous êtes, nous sommes tous dans l'obligation de dessiner la meilleure caricature possible de notre personne, de camoufler ce qui nous déplaît et de faire ressortir ce qui nous plaît le plus en nous. Ceux qui comprennent ce que je veux dire savent que je ne parle pas seulement de particularités physiques, mais de la trace mystérieuse que laisse la vie sur nos traits, du paysage moral, oui, je ne vois pas comment le qualifier autrement, du paysage moral qui se dessine peu à peu sur notre visage à mesure que la vie s'écoule et qu'on commet des erreurs ou qu'on voit juste, à mesure qu'on inflige des blessures aux autres ou qu'on s'efforce de ne pas le faire, à mesure qu'on ment, qu'on trompe ou qu'on persévère, parfois au prix de grands sacrifices, dans la tâche toujours ardue qui consiste à dire la vérité. Merci beaucoup. »

Les journaux du lendemain furent un inventaire d'éloges rebattus. APOTHÉOSE AU COLÓN, titra *El Tiempo* dans sa rubrique culturelle, tandis qu'*El Espectador* avait préféré faire figurer à la une l'hommage rendu au caricaturiste : JAVIER MALLARINO ENTRE DANS L'HISTOIRE, pouvait-on lire, les mots flottant au-dessus d'une photo en noir et blanc avec beaucoup de grain et de forts contrastes, prise en contre-plongée par un connaisseur d'Orson Welles. C'est ce que Mallarino souligna : « Le photographe connaît bien Orson Welles. » Magdalena émergeait lentement du sommeil, ses muscles délicats, frémissants, retrouvaient leur place sur le front, les pommettes et la bouche grimaçante, et son visage reprit ses expressions comme un masque en plâtre prend sa forme en séchant. Elle regarda le cliché de Mallarino, debout derrière le pupitre et les bras ouverts comme pour embrasser le théâtre tout entier, et déclara que si le photographe avait pensé à *Citizen Kane*, le modèle, lui, avait plutôt en tête *Titanic*. Allongé sur des oreillers en désordre, Mallarino ne cessait de s'interroger sur ce qui s'était passé pour qu'ils se retrouvent là, chez lui, dans la montagne, s'éveillant ensemble, nus dans le même lit, comme dans leur autre vie, observant tous deux un silence précautionneux : non celui de l'habitude et du quotidien, mais le silence appréhensif qu'on garde pour ne pas briser – par une maladresse, une question déplacée, un sarcasme – l'équilibre des retrouvailles. Étaient-ce des retrouvailles ? Le mot lui pesait sur la langue comme une saveur qui persiste après le dernier repas qu'on a pris : non, il fallait éviter d'évoquer ce qui était arrivé, ne pas commettre cette erreur de débutant. Ils discutèrent d'autres choses : du travail de Magdalena dans une radio universitaire, de l'émission musicale qu'elle produisait et présentait depuis plusieurs années, si agréable car elle n'avait pas à se battre contre les vivants, leurs vanités et leurs prétentions. Magdalena enregistrait dans un petit studio aux murs ocre, et dans cette solitude imaginaire (car de l'autre côté de la vitre se tenait le technicien et derrière lui s'élevait le bruit du monde), elle lisait les textes qu'elle avait elle-même rédigés, souvent avec l'aide de personnes plus expérimentées. L'émission traitait de l'histoire des chansons : Magdalena expliquait aux auditeurs qui étaient Jude ou Michelle, quels malheurs se cachaient derrière *L'Aigle noir*, à quel naufrage matrimonial *Graceland* faisait allusion. Elle lui racontait à présent tout cela, la bouche cachée sous la couverture blanche, se protégeant de la froidure du matin. La maison de la montagne était froide : dire qu'elle se trouvait dans le *páramo* aurait été une inexactitude scientifique, mais elle en était proche ; si l'on s'aventurait un peu plus loin, les grands arbres disparaissaient et l'on pouvait voir quelques espeletias. Mallarino aimait l'idée de vivre sur les hauteurs et, pour impressionner les gens trop crédules, il disait fréquemment et avec emphase « ma maison dans le *páramo* ». Il souleva la couverture pour regarder le corps de Magdalena, qui abattit le plat de la main sur le matelas, faisant voler une petite plume.

« Ne m'embête pas, je dois y aller. »

Tout était étrange, d'abord le fait que Magdalena admette l'étrangeté de la situation, qu'elle la comprenne ou semble la comprendre, puis le poids de son corps sur le lit, différent de celui d'autres corps et qui, curieusement, lui appartenait ; étrange aussi la familiarité, l'insolente familiarité avec laquelle ils se traitaient alors qu'ils étaient séparés depuis si longtemps ; enfin et surtout, Mallarino trouvait étrange sa capacité à anticiper les gestes de son ex-femme.

« Aujourd'hui, j'ai une journée infernale, dit-elle, mais on peut se voir demain, tu veux ? Je t'invite à déjeuner dans le centre, pour que tu ne perdes pas l'habitude d'y aller.

– Non, pas dans le centre. Ceux qui vivent à la montagne ont les yeux irrités quand ils vont en ville.

– Quel flemmard, un peu de pollution, ça ne fait de mal à personne. Tu passes me prendre à la radio ? Disons à treize heures », ajouta-t-elle.

Mallarino lui dit que c'était d'accord, qu'ils déjeuneraient demain dans le centre et qu'il passerait la prendre à treize heures à la radio, qu'un peu de pollution ne fait de mal à personne et, tout en parlant, il faisait mentalement des prédictions : maintenant, elle allait se coucher sur le côté, lui tourner le dos en fixant un point indéterminé, puis elle sortirait du lit d'un bond, opérant un glissement agile, sans même s'asseoir au bord ni s'étirer, se dirigerait vers la salle de bains sans regarder derrière elle tout en se laissant regarder, persuadée que Mallarino l'observerait comme il le faisait maintenant, comparant son corps à celui qu'il avait connu des années plus tôt, remarquant des vergetures sur ses hanches et des ombres sur ses fesses, jaloux car les ombres et les vergetures n'étaient pas des ombres ou des vergetures, mais des messagers lui dévoilant tout ce qui était survenu en son absence : tout ce qu'il avait perdu. La veille, il avait fait l'amour avec le souvenir d'une femme et non avec la femme qui était près de lui, comme lorsque après avoir marché sur une pierre, on continue de sentir la forme du caillou sur sa voûte plantaire. C'est ce qu'était Magdalena : une pierre sous son pied nu. Il la vit s'enfermer dans la salle de bains et sut (une certitude à la fois gênante et très satisfaisante) qu'elle n'en sortirait pas avant un bon quart d'heure. Être là, devant la baie vitrée derrière laquelle commençaient à apparaître les bois humides, entouré des journaux faisant état de son triomphe et attendant que sa femme retrouvée vienne le rejoindre, procura à Mallarino une étrange impression de paix. Il se demanda si c'était ce que ressentaient les gens heureux et en fut persuadé quelques heures plus tard, après que Magdalena eut pris congé de lui en l'embrassant sur la bouche. Il se mit alors à travailler à sa caricature du lendemain, mais les aboiements des chiens puis la sonnette l'obligèrent à s'interrompre et à aller accueillir la journaliste qui, la veille au soir, lui avait demandé de lui accorder une interview pour un blog au nom inconnu ;

tandis qu'il la précédait dans le salon et lui proposait à boire, il s'aperçut non sans surprise qu'il n'avait pas la moindre intention de la séduire.

Elle s'appelait Samanta Leal. Dans la soirée, après le cocktail organisé au bar du théâtre Colón en l'honneur de Mallarino et de sa décoration, elle l'avait abordé, une jeune femme parmi des dizaines d'autres, pour lui demander de lui dédicacer son dernier livre, encore enveloppé, ainsi que tous les livres en Colombie, d'un odieux plastique apparemment conçu pour décourager les lecteurs et humilier l'auteur qui, comme le fit alors Mallarino, s'évertue à le déchirer pour y écrire quelques mots. Les doigts humidifiés par le verre de whisky, il échoua lamentablement dans l'entreprise, mais quand la fille lui retira l'ouvrage des mains, le porta à sa bouche et mordit un coin du plastique, il observa ses longs doigts dépourvus de bagues, puis ses lèvres entrouvertes, ses dents et, enfin, sa bouche tout entière qui ne savait que faire du bout de plastique arraché et cherchait à le recracher sans paraître grossière en tirant comiquement sa langue très rose (une langue de petite fille, songea-t-il). Sans doute sous l'émotion du moment, il trouva la scène si sensuelle, si *concrète* qu'il se concentra particulièrement sur le nom de la jeune femme en l'écrivant.

« Pour Samanta Leal, dit-il en prenant soin de prononcer les "l" comme s'il voulait les retenir, comme s'ils risquaient de s'échapper. Qu'est-ce que vous voulez que je mette ?

– Je ne sais pas. Ce que vous voudrez. »

Il écrivit : *Pour Samanta Leal : ce que vous voudrez.* Rien ne laissait encore présager ce qui allait se passer ensuite avec Magdalena – elle l'avait félicité affectueusement, puis s'était assise sur une chaise de velours rouge et riait aux éclats avec un écrivain de la côte –, et Mallarino se sentait libre de fantasmer sur une trentenaire attirante et d'agir en fonction de ses fantasmes. Samanta Leal lut la dédicace, mais au lieu de prendre congé de lui et de partir, elle fronça les lèvres, qui évoquèrent à Mallarino une fraise fraîchement lavée.

« Eh bien, ce que je veux, lâcha-t-elle à sa grande surprise, c'est une interview. »

Elle bredouilla le nom d'un blog, un affreux mot anglais bourré de consonnes ; il lui dit qu'il n'y connaissait rien en matière de blogs, qu'il ne les appréciait pas et ne les lisait guère ; ils lui inspiraient plutôt de la méfiance. Si, malgré cela, elle voulait toujours l'interviewer, il l'attendrait chez lui le lendemain, à quinze heures précises, et elle aurait quarante-cinq minutes pour l'interroger, après quoi elle devrait le laisser continuer à travailler.

Et maintenant, la dénommée Samanta Leal était là. Elle portait un collant en laine verte, une jupe grise au-dessus du genou et un chemisier blanc et lisse comme une toile de Malevitch, dont la seule aspérité était le changement de relief à hauteur du soutien-gorge. Les yeux qu'il avait crus noirs la veille au soir, dans les lueurs diffuses des lampes du bar, étaient en réalité verts et s'écarquillaient, à la fois éblouis et déçus, comme lorsqu'on découvre le lieu de vie d'une personne qu'on admire. Il y avait de l'impatience dans sa manière de s'asseoir et de croiser les jambes, une vague inquiétude électrique et gênée ; quand elle commença à lui poser des questions décousues (habitait-il là depuis longtemps ? pourquoi avait-il décidé de s'éloigner de Bogotá ?), Mallarino eut le même pressentiment que la veille : l'interview n'était qu'un prétexte. Avec le temps, il avait appris à déceler les intentions cachées des gens qui l'abordaient ; les interviews, les dédicaces, les brèves conversations n'étaient que des stratégies efficaces pour atteindre des objectifs bien différents : une recommandation afin de trouver du travail, une prière pour qu'il cesse de s'attaquer à un homme politique, le sexe. En guise de distraction (mais une distraction consternée), il lança mentalement des paris sur Samanta Leal et sur l'issue de sa visite, imagina divers stades de nudité ou de honte. La jeune fille l'interrogeait et son éparpillement, son manque de méthode n'étaient pas les seuls éléments qui lui semblaient empreints de duplicité : dans la tranquillité de sa maison sur la montagne, les intonations de Samanta Leal lui révélaient des musiques insolites qu'il n'avait pas remarquées la veille. Elle observait les murs et il la regardait les observer, voyant sa demeure à travers ses yeux étonnés, découvrant en même temps qu'elle les crapauds habillés de Débora Arango, le tableau rouge de Santiago Cárdenas ou un paysage d'Ariza évoquant aussi bien le département de Boyacá que le Japon. Il la regardait, cherchant sur son visage de l'émotion ou de la surprise sans rien trouver de tel : Samanta Leal étudiait les œuvres comme si elle y constatait une absence, comme si celle qui l'intéressait vraiment n'était pas là.

« En 1982, dit Mallarino. J'en avais assez de Bogotá, tout simplement, j'en avais assez de beaucoup de choses. J'ai acheté cette maison et deux chiens, deux bergers allemands, un mâle et une femelle qui ont eu ceux que vous voyez maintenant. Ils sont tous pareils, avec une tache blanche sur le front. Bien sûr, ils ne sont pas tous ici : j'en ai gardé deux et j'ai vendu les autres, ils mangent comme dix et sont énormes, de vrais chevaux, je ne sais pas si vous les avez vus. »

Samanta Leal lui répondit que oui, elle les avait vus, et qu'en fait, ils lui avaient fait un peu peur.

« Peur ? C'est drôle, rétorqua Mallarino. Ne l'écrivez pas dans l'interview, mais mes chiens sont les plus grands trouillards du monde : ils ne montent absolument pas la garde.

– Je ne l'écrirai pas, c'est promis. Vous avez dit en 1982 ?

– Oui, tout à fait, vers le milieu de l'année. Il fait froid, ici, mais j'aime le froid. On est presque à la lisière du *páramo*, vous savez ? Il suffit de monter un peu dans la montagne pour s'en rendre compte. »

Samanta avait sorti trois objets de son sac aigue-marine : un briquet en aluminium opaque, un petit carnet et un stylo de même couleur que le sac. Quand elle posa le briquet sur la table, Mallarino comprit qu'il s'agissait non pas d'un briquet, mais d'un petit enregistreur numérique. Il fit un commentaire à ce sujet – « À mon époque, on prenait des notes » ou « Maintenant, les journalistes ne se fient plus à leur mémoire » –, et Samanta lui demanda s'il avait recours à la technologie, s'il travaillait en s'aidant du numérique.

« Jamais, répondit-il. Je n'aime pas ça. Je ne fais même pas de retouches sur ordinateur, contrairement à beaucoup de mes confrères. Moi non, je dessine à la main et j'obtiens le résultat que j'obtiens. Le numérique rend tout ennuyeux, prévisible, monotone. On peut s'ennuyer dans ce métier, mademoiselle, et je dois inventer des stratagèmes pour que ça ne m'arrive pas. Parfois, par exemple, je me lance des défis : réaliser une caricature sans lever la main du papier ou dessiner au fond, en arrière-plan, la reproduction miniature d'un chef-d'œuvre. Les gens ne cherchent pas à savoir pourquoi un Rembrandt ou un Raphaël sont accrochés derrière Chávez… Alors non, je me passe de la technologie, elle n'est pas faite pour moi.

– Et pour les envoyer ?

– Pour envoyer quoi ?

– Vous ne vous servez pas de votre ordinateur ?

– Je n'ai pas d'ordinateur, je n'ai pas Internet, pas de boîte mail non plus. Vous ne le saviez pas ? Je suis célèbre pour ça, ridiculement célèbre, à mon avis. Je ne vois pas ce que ça a de bizarre. Je suis abonné à six ou sept magazines dans trois langues : un tas de paperasse que je n'arrive jamais à lire entièrement. En plus de la télévision, c'est suffisant pour me tenir informé. En revanche, j'ai le câble, plus de chaînes d'information que je n'en ai besoin et même une fonction qui me permet d'appuyer sur “pause” et de zoomer pour mieux voir le visage de quelqu'un.

– Mais alors, comment faites-vous pour envoyer vos caricatures ?

– Au début, je me déplaçais moi-même jusqu'au journal, évidemment. Puis je me suis servi du fax pendant des années. Maintenant, je l'utilise pour communiquer avec les gens. Cet appareil est mon courrier personnel : si vous voulez m'écrire, vous m'envoyez un fax et je vous répondrai par fax. C'est très simple. Avant, j'envoyais mes caricatures par fax, mais ça ne marchait pas. Mes traits étaient discontinus, vous comprenez ? Mes amis m'appelaient, inquiets, en me disant : "Tu es malade ? Qu'est-ce qui t'arrive ? On dirait que ta main a tremblé." Alors ils sont venus les chercher.

– Qui ?

– Un coursier du journal. Ils ont toujours eu des coursiers qui parcourent la ville et déposent des plis, ils les appellent les Bus. Quand ils envoient quelqu'un chercher ma caricature, ils disent le Bus de Mallarino.

– Mais vous habitez loin, dit Samanta. Il faut traverser toute la ville. Ils se déplacent jusqu'ici ?

– Ils sont très serviables au journal.

– Ils vous passent tous vos caprices, rectifia la jeune femme.

– Oui, je suppose.

– Sûrement parce que vous êtes quelqu'un d'important, ajouta-t-elle en souriant.

– Sûrement.

– Et qu'est-ce que ça fait ?

– Qu'est-ce que ça fait quoi ?

– D'être quelqu'un d'important. D'être la conscience d'un pays.

– Vous savez, on vit une époque détraquée. Nos dirigeants ne dirigent plus rien et se gardent bien de nous raconter ce qui se passe. C'est là que j'entre en scène. Je dis ce qui se passe aux gens. L'important, dans notre société, ce ne sont pas les événements en soi, mais ceux qui les racontent. Pourquoi laisser ce soin aux seuls hommes politiques ? Ce serait un suicide, un suicide national. On ne peut pas leur faire confiance, on ne peut pas se contenter de leur version, il faut en chercher une autre, celle d'autres personnes ayant d'autres intérêts, celle des humanistes. C'est ce que je suis : un humaniste. Je ne suis pas un humoriste. Je ne suis pas un barbouilleur. Je suis un dessinateur satirique, une activité qui comporte également ses risques, inutile de vous le préciser. Le risque du dessin, c'est de devenir un analgésique social : sous forme de dessins, les choses sont plus compréhensibles, plus assimilables. Il est moins douloureux de les affronter. Je n'ai pas envie que mes caricatures jouent ce rôle, surtout pas. Mais c'est peut-être inévitable. »

Samanta écoutait sagement son exposé. Mallarino la voyait écrire dans son carnet et se relire, ses yeux toujours aussi grands malgré ses sourcils froncés avec gravité.

« On peut aller dans votre bureau ? » demanda-t-elle.

Mallarino acquiesça. Il désigna un couloir sombre et, au fond, un escalier en bois ciré ; il l'invita à le précéder, en partie par courtoisie, en partie pour apprécier ses formes sous sa jupe pendant qu'ils gravissaient les marches. Ces derniers temps, il avait donné de nombreuses interviews, mais pour de mystérieuses raisons, cette fois, c'était différent : cette fois, il avait envie de parler. Il se sentait loquace, communicatif, ouvert, prêt à se livrer. Peut-être était-ce dû au souvenir de sa nuit avec Magdalena, peut-être avait-il l'impression qu'à compter de cette matinée, sa vie connaîtrait un nouveau tournant, en tout cas il se lança dans le récit d'anecdotes et son comportement ne lui ressemblait pas : il parlait de lui. Il parla du jour où un maire avait changé d'avis alors que Mallarino avait déjà terminé son dessin. Il avait ajouté une bulle contenant trois mots brefs : *Ou peut-être pas.* Il parla du chef d'entreprise qui lui avait téléphoné pour lui demander de cesser de le caricaturer comme il l'avait fait jusqu'alors car il avait changé ses lunettes ridicules et l'orthodontiste avait corrigé ses dents de lapin, mais Mallarino avait continué de le représenter sous son ancienne image : n'était-ce pas une injustice ?

« Un jour, j'ai été à court d'idées. C'est bizarre, mais ça peut arriver. J'ai alors fait un autoportrait devant ma tasse de café et une feuille blanche et, dans une bulle, j'ai dessiné une ampoule éteinte. J'ai envoyé le tout à l'éditeur, accompagné d'une note qui disait : *Aujourd'hui, je n'ai rien trouvé. Je dois rendre ma caricature et je n'ai rien trouvé. Désolé. À vous de décider si vous publiez mon dessin ou non.* La caricature est sortie le lendemain et j'ai reçu des appels élogieux. Tout le monde me félicitait. La veille, il y avait eu une très grosse panne d'électricité dans l'un des quartiers les plus pauvres de Medellín. Mon dessin avait été interprété comme une critique contre l'indolence de l'administration et tout ça. Je ne leur ai jamais raconté le fin mot de l'histoire. »

Ils venaient de pénétrer dans son bureau. La lumière de l'après-midi entrait par la fenêtre qui donnait sur la ville, une lumière voilée à cause de la brume, des fumées sales, comme fatiguée d'avoir parcouru toute la *sabana*.

« Le centre de la création », déclara Samanta Leal en s'arrêtant au milieu de la pièce, juste en dessous d'un œil-de-bœuf qui déjà répandait sur leurs têtes des lueurs nocturnes.

Elle tourna sur elle-même, triste cariatide égarée, pour dévorer des yeux le meuble de classement gris, métallique et bruyant, digne d'un tribunal, qui trônait dans un coin, puis l'étagère sur laquelle étaient posés ses instruments, la chaise hydraulique et la table à dessin, une épaisse planche en bois inclinée très précisément à vingt-deux degrés, comme une rampe montant vers un panneau de liège, ou plutôt comme un toboggan conçu pour que glissent du haut du panneau de liège les coupures de presse, les croquis, les listes de choses qu'il devait faire et les photos des personnalités du moment, victimes ou bénéficiaires (mais surtout victimes) de ses caricatures.

« Vous pouvez allumer la lumière ? On ne voit plus rien », lui dit-elle.

Prévenant (mais pourquoi cet empressement, pourquoi tant d'enthousiasme ?), Mallarino chercha l'interrupteur ; deux lampes allogènes s'allumèrent au plafond, faisant surgir du néant un mur couvert de cadres.

« Voici mon autel, déclara-t-il. Je travaille en regardant le mur en liège : c'est là que, tous les jours, je m'attelle à la tâche. Mais quand rien ne va, quand je me dis, bon sang, pourquoi est-ce que je fais ce métier, ou quand la réalité devient tellement pourrie qu'elle ne mérite même pas qu'on lui consacre un dessin… alors je viens ici et je reste devant ce mur. Quelques minutes suffisent. Je suppose que c'est comme aller à confesse pour un catholique. Voici mes confesseurs attitrés, ils m'écoutent, me donnent des conseils. Vous voulez que je vous explique pourquoi ? »

Mais elle ne lui répondit pas.

« Vous voulez que je vous explique ce mur, mademoiselle ? » insista-t-il.

Mais Samanta avait cessé de le regarder et de prendre des notes et son expression n'était plus diligente ni attentionnée ; elle était devenue tout à coup à la fois vide et concentrée, comme frappée de démence.

« Ah oui ! l'entendit-il s'exclamer à part soi. Le voilà. »

Elle n'avait prononcé que quatre mots, ou plus exactement trois mots et une interjection que nul n'aurait crus capables de marquer par leur seule force le début d'une si longue nuit. Vingt-quatre heures plus tard, lorsqu'il se rappela cet instant précis, il admira la prestance avec laquelle Samanta avait marché jusqu'au mur pour regarder de plus près une des illustrations, comme si elle venait de découvrir un nouveau caricaturiste et non de se pencher au bord du précipice de son malheur. Mallarino avait alors compris qu'il ne lui parlerait pas de Ricardo Rendón ni de son aiguillon enrobé de miel, qu'il ne s'attarderait pas davantage à lui expliquer le dessin de James Gillray, où Napoléon se coupe une belle part du gâteau représentant l'Europe, qu'il ne lui montrerait pas les têtes grotesques de Léonard de Vinci et se garderait de mentionner Porta et Lavater, pour lesquels le caractère d'un homme est décelable dans sa physionomie. Il le comprit et en fut d'autant plus convaincu en la voyant se détourner de l'image du roi Louis-Philippe portraituré par Daumier en 1834. Cette tête en forme de poire contenait miraculeusement trois visages : un premier jeune et satisfait, un deuxième pâle et aigri, un troisième triste et rembruni.

L'ensemble était grotesque et personne n'aurait voulu croiser un tel monstre en pleine nuit. Au lieu de demander qui était le caricaturiste ou le pauvre caricaturé, au lieu d'accepter d'écouter ses explications sur la forme de la tête et la triple expression du visage, Samanta pria d'une voix lasse Mallarino de l'excuser, parce qu'elle lui avait menti et que cette visite n'était qu'une grande imposture, elle n'était pas journaliste et se moquait de l'interviewer, elle ne l'admirait pas mais avait dû inventer toute cette histoire, cette fausse identité et feindre de l'intérêt pour pénétrer dans cette maison, la parcourir, y chercher la tête étrange qu'elle n'avait vue qu'une seule fois, il y avait de cela bien longtemps, des années, quand elle était une petite fille à l'existence pleine de certitudes, une petite fille qui avait toute la vie devant elle.

# II

Certaines femmes ne conservent sur la carte de leur visage aucune trace de la fillette qu'elles ont été, sans doute parce qu'elles ont fait de gros efforts pour laisser leur enfance derrière elles – ses humiliations, ses persécutions subtiles, l'expérience de la désillusion constante –, sans doute aussi parce que quelque chose est survenu entre-temps, un de ces cataclysmes intimes qui, au lieu de façonner la personne, la démolissent comme on démolit un immeuble, l'obligent à se reconstruire de fond en comble. Mallarino regardait Samanta Leal et tentait de déceler dans ses traits une forme (la courbe de l'os frontal entre les sourcils, la façon dont le lobe de l'oreille se rattachait à la tête) ou encore une expression rappelant la fillette qu'il avait vue vingt-huit ans plus tôt. Mais il n'y parvenait pas : cette petite fille s'était absentée, à croire qu'elle avait renoncé à vivre sur ce visage. Par ailleurs, il ne l'avait vue qu'une seule fois et à peine quelques heures et sa mémoire, qui lui avait toujours permis de garder en tête les caractéristiques essentielles de n'importe quel visage avec une précision chirurgicale, commençait peut-être à se dégrader. Si tel était le cas, cette détérioration ne pouvait pas tomber plus mal car à présent Samanta Leal, la femme dont le visage n'avait rien gardé de la fillette d'autrefois, le pressait non seulement de se rappeler cette enfant et sa visite dans la maison de la montagne, en juillet 1982, mais aussi les circonstances de cette visite déjà lointaine, les noms et les signes particuliers des personnes présentes ce jour-là ; elle le priait instamment de se souvenir de tout ce que lui et, dans la mesure du possible, les autres avaient vu et entendu.

« Rappelez-vous, s'il vous plaît. J'ai besoin que vous fassiez travailler votre mémoire », lui disait-elle.

Et Mallarino songeait à cette curieuse tournure, *faire travailler sa mémoire*, comme si la mémoire était malléable, comme si on pouvait en disposer à partir de certains matériaux, en exerçant sur elle un simple effort physique. La mémoire serait alors semblable à une de ces horribles fontaines taillées dans les carrières de la montagne et exposées au bord des routes, et quiconque pourrait en remonter le fil à condition d'avoir le talent, les outils et l'opiniâtreté nécessaires. Mallarino savait bien qu'il n'en était pas ainsi, pourtant il se tenait là, assis devant cette femme pleine d'attente, près de la fenêtre déjà sombre : la maison tout entière se penchait sur la ville illuminée, comme si elle l'épiait ; Mallarino regardait les points de lumière sur le fond noir (la cité avait pris l'aspect d'une broderie observée à contre-jour) et, au loin, flottant dans l'air nocturne, les avions qui attendaient leur tour pour atterrir ; il songeait aussi aux hommes et aux femmes qui, à cet instant précis, occupaient ces espaces éclairés et tentaient comme lui de se rappeler, de se rappeler quelque chose d'important ou une broutille, de se rappeler encore et toujours, comme nous le faisons tous à tout moment, jusqu'à épuisement de nos faibles réserves d'énergie. *C'est une pauvre mémoire que celle qui ne fonctionne qu'à reculons*, pensa-t-il de nouveau et, de nouveau, il se demanda d'où lui venaient ces mots. Car il s'agissait bien de cela, de regarder en arrière et de ramener le passé jusqu'à lui. « Rappelez-vous, s'il vous plaît », lui avait dit Samanta Leal. Alors peu à peu, d'une réminiscence à l'autre, Mallarino se rappela.

Il venait à l'époque de s'installer dans la maison de la montagne. Plus qu'un simple changement de lieu, le déménagement avait été en quelque sorte un dernier recours, une tentative désespérée de préserver, grâce à la stratégie de la séparation et de l'éloignement, le bien-être de sa famille. Quand les choses avaient-elles commencé à se dégrader ? Peut-être après la lettre de menaces et la violente déstabilisation qu'elle avait entraînée ? Pour la première fois, Magdalena lui avait posé la question qu'il se posait chaque jour en silence : fallait-il en passer par là ? Fallait-il en passer par la peur, le risque, l'antagonisme et l'intimidation ? « Je n'en suis pas sûre, avait-elle déclaré. Je ne suis pas sûre qu'on doive en passer par là. Toi, tu as tes idées sur la question, mais pense à la petite. Et pense aussi à moi. Je ne sais pas si ça en vaut la peine. » Mallarino perçut ces mots comme une trahison, une trahison minime, mais une trahison quand même. La lente et imperceptible déliquescence de leur couple, ce monstre à deux bosses qui s'était comporté de manière exemplaire pendant plus de dix ans, avait-elle débuté à ce moment-là ? C'était difficile à dire, songeait Mallarino, on ne pouvait pas étaler des années de mariage sur une table, comme une carte routière, ni entourer un instant précis d'un cercle de craie, imitant en cela le poète José Asunción Silva, qui avait demandé à son médecin de marquer l'exact emplacement de son cœur. Il est vrai qu'après la visite médicale Silva était rentré chez lui, avait enlevé sa chemise et tiré une balle au centre du cercle : voilà pourquoi il s'était fait dispenser une leçon d'anatomie, il ne voulait pas se rater. Mallarino en aurait eu besoin pour une autre raison : identifier et éliminer du cours de sa vie le moment nocif, le premier commentaire non plus impatient, mais hostile, la première réponse teintée de sarcasme, le premier regard dénué de toute admiration.

Oui, c'était cela : l'admiration avait quitté le regard de Magdalena. Il prit conscience qu'il s'était nourri de l'admiration que sa femme éprouvait à son égard, et s'en trouver subitement privé lui faisait l'effet d'une gifle assenée en public. Cette révélation lui sembla aussi fascinante qu'impitoyable : ne pas pouvoir se passer d'elle, perdre la parfaite indépendance qu'il avait cultivée toute sa vie le déstabilisa au-delà de ce qu'il avait imaginé. « Je ne suis marié avec personne », avait-il l'habitude de dire, c'était l'une de ses devises, une ligne de conduite à laquelle il se référait souvent pour se justifier. Lorsque sa caricature nuisait à un ami de la famille ou à un collaborateur de son père (allant jusqu'à causer la faillite d'une entreprise, jeter le doute sur son père, le présentant aux yeux de tous comme un homme incapable de gagner la confiance de son fils), Mallarino encaissait les protestations plus ou moins irritées avec une vaillante indifférence, plaçant son art et son engagement – il employait ces mots-là, sentant qu'ils le protégeaient – au-dessus des contingences strictement personnelles.

« Strictement personnelles, avait un jour répété Magdalena. *Strictement personnelles ?* Mais ce sont nos amis, Javier.

– Eh bien, on n'a qu'à changer d'amis, lui avait-il rétorqué.

– Et la famille ? Tu voudrais aussi qu'on change de famille ?

– Oui, s'il le faut. Ma crédibilité est en jeu. »

*Ma réputation est en jeu*, avait-il pensé sans le dire. Et ces sacrifices avaient porté leurs fruits : sa réputation, sa bonne réputation était intacte, de même que son prestige. Il les avait gagnés à la force du poignet ; il n'était marié avec personne.

Les sacrifices : qui en avait parlé le premier et dans quelles circonstances ? Il est vrai qu'ils ne fréquentaient plus les restaurants du nord de la ville, car ils s'exposaient à y croiser la victime d'une caricature ou des proches plus ou moins agressifs, vrai aussi que, pendant les déjeuners familiaux du dimanche, une sorte de tension permanente, une gêne générale dont personne ne parlait s'était installée, semblable à celle qui nous gagne lorsque quelqu'un agonise dans la pièce voisine. Il n'en demeurait pas moins vrai, et Mallarino le sentait, que les gens (cette abstraction, cette multitude de visages flous et dépourvus de traits) le respectaient et l'appréciaient.

« En plus, ils ont besoin de moi, déclara-t-il à Magdalena. Ils ont besoin qu'on leur dise quoi penser.

– Ne sois pas naïf, lui répondit sa femme. Les gens savent ce qu'ils pensent. Ils ont des idées très claires. Ils ont juste besoin que quelqu'un revêtu d'autorité confirme leur jugement, même si cette autorité est celle, mensongère, des journaux. Le voilà, ton prestige, Javier : tu confortes les gens dans leurs opinions. Tu aurais pu être un grand peintre. Un Botero. Un Obregón. Tu aurais pu être un artiste d'aujourd'hui, comme Luis Caballero ou Darío Morales, ajouta-t-elle après un temps de réflexion, comme si elle avait pesé ses mots. Mais non, tu as choisi d'être autre chose. Tu as choisi d'être quelqu'un qui nous cause des problèmes, qui nous oblige à nous disputer avec tout le monde et qui oblige tout le monde à se disputer avec nous. »

À quel moment Magdalena avait-elle tant changé ? Quand avait-elle cessé d'être la femme indépendante qui s'était dressée contre la censure d'un directeur de journal ?

« Je ne veux pas que ma fille grandisse entourée de personnes qui lui en veulent. Je ne veux pas que des gens qui ne l'ont jamais vue la prennent en grippe.

– Ne mêle pas la petite à tout ça. Le problème est beaucoup plus simple. Le problème, c'est que tu n'admires plus ce que je fais », lâcha Mallarino, mettant peut-être alors pour la première fois des mots sur les accusations de sa femme.

Pour toute réponse, Magdalena souffla comme un cheval qui s'ébroue, dans une attitude qui contenait tout le mépris possible, toute la détérioration invisible mais inexorable de leur relation.

Mallarino garderait toujours en mémoire son empressement à chercher Beatriz des yeux pour voir si elle avait été témoin de la scène et si elle avait perçu le dédain de sa mère. Il s'émerveillait que sa fille, qui venait d'avoir sept ans, soit avec eux sur les lieux du naufrage sans s'apercevoir que sa vie commençait à changer ; il s'émerveillait que son petit corps aux longues jambes se promène dans les pièces avec une telle insouciance, que ses yeux, sous les sourcils arqués hérités de sa mère, scrutent le monde, l'univers infini de la famille, en silence mais avec une attention soutenue, engagés dans l'apprentissage cruel et avide propre à la jeunesse, mais sans avoir conscience que ces instants – les cris et les murmures des disputes nocturnes, les petits déjeuners crispés où l'on n'entendait que trop le bruit des couverts dans les assiettes – allaient la marquer pour toujours, soit en semant dans sa relation avec ses parents la graine tenace de la méfiance, soit en déformant à jamais sa manière d'aimer et d'être aimée. Pendant ce temps, Mallarino passait ses journées recru de fatigue et avait l'impression que son corps, lorsqu'il se déplaçait sur le territoire familier de son foyer, perdait des lambeaux de peau sèche, comme un serpent, comme un lépreux. Il régnait dans l'appartement un climat de nervosité ou d'anxiété. Quand Beatriz commença à lécher ses mains, qui étaient très sèches (avec pour seul résultat de les dessécher davantage et de les lécher encore plus), Mallarino comprit qu'il était temps qu'il s'éloigne car avec toutes ses bonnes intentions et ces années d'inertie passées auprès des siens, il ne faisait qu'envenimer la situation par sa présence. Il devait partir. Un soir, devant le poste de télévision, il l'annonça à Magdalena. Elle était assise sur son oreiller, en tailleur, les yeux rivés sur l'écran. Elle regardait *El hijo de Ruth* : on lui avait proposé un rôle dans ce feuilleton, mais n'étant pas une actrice au sens propre du terme, elle ne savait que faire de son visage et de ses mains et elle avait refusé. « Je suis une femme de radio, pas de télévision », avait-elle expliqué. À présent, elle regrettait de ne pas avoir accepté.

« Je vais partir un moment, pas longtemps », avait dit Mallarino.

Magdalena avait été d'accord.

« Pas longtemps, juste pour voir.

– C'est mieux comme ça, pour tout le monde.

– Il faut penser à la petite.

– Oui. Il faut penser à la petite. »

Il ne tarda guère à trouver la maison dans la montagne. C'était une occasion unique car la propriété faisait l'objet d'une succession litigieuse qui ne serait pas réglée avant trois ans, de sorte que Mallarino, avec l'aide des avocats du journal, put signer un contrat dans des conditions inhabituelles et incroyablement favorables : il l'acheta et entreprit les aménagements qui s'imposaient. Le temps que les héritiers se mettent d'accord, il leur verserait une rente équivalant à un loyer très bas ; si la succession n'aboutissait pas, si la vendeuse perdait ses droits, la vente serait annulée et Mallarino remboursé de toutes les sommes qu'il avait payées, y compris du montant des travaux. Le contrat semblait avoir été écrit spécialement pour lui, qui espérait que sa séparation avec Magdalena serait de courte durée – quand il tâchait d'évaluer ce délai en se fondant sur l'expérience d'autres couples de sa connaissance, il pensait en termes de mois, peut-être une année ou deux dans le pire des cas –, et dans son for intérieur il souhaitait que la succession se solde par un échec, comme si cette situation juridique influait secrètement sur l'issue de son mariage. À la fin du mois de juin, entre deux caricatures, celle d'un footballeur argentin expulsé de façon scandaleuse (une grosse touffe de cheveux noirs et une tenue de karatéka) et le portrait de la Dame de fer (un sourire aux dents chevalines, une armure médiévale et un drapeau planté sur une île déserte), Mallarino s'acheta chez Sears un lit à trente mille pesos et un téléviseur couleur, empila des tonnes de livres dans des cartons, enveloppa sa table à dessin et ses instruments de travail de papier bulle. Il se chargea lui-même d'emballer les cadres de sa collection de fétiches : la phrase *Un aiguillon enrobé de miel*, qu'un menuisier avait pyrogravée sur un retable, les reproductions des dessins de Daumier – *Le Ventre législatif* ; *Le Passé, le Présent et l'Avenir* –, le tableau représentant Magdalena tenant Beatriz dans ses bras, telle une Vierge de Bellini, et le dessin de Rendón, vieux cadeau d'anniversaire, où un commissaire demande à un communiste si, avec ses bombes, il a l'intention de tuer le président, et le communiste de rétorquer : « Non, monsieur. J'espérais que le président succomberait au remords. »

La séparation se fit avec le plus grand soin, comme on déplace une table sur laquelle est posé un vase : personne ne voulait commettre de maladresses ni être coupable de dommages irréparables. Ses parents expliquèrent à Beatriz que désormais elle aurait deux maisons, deux chambres, deux endroits où jouer, et la petite fille les écouta patiemment, mais sans les regarder, tout en faisant éclater les bulles de plastique en les pinçant entre son index et son pouce, très concentrée sur cette tâche.

« Elle joue les indifférentes même si elle souffre, dit Magdalena.

– Mais c'est mieux comme ça, répondit Mallarino.

– Oui, c'est mieux comme ça. »

Au début des vacances, Mallarino avait déménagé ; Beatriz s'allongea pour la première fois dans son nouveau lit, froissant l'uniforme scolaire du dernier jour de classe sur les draps, les paupières encore tremblantes d'avoir mangé trop de bonbons, et Mallarino resta à côté d'elle, la tête sur l'oreiller, calant sa respiration sur la sienne, jusqu'à ce qu'il soit sûr qu'elle s'était endormie. Il projeta d'inviter des amis pour fêter le déménagement, non que le fait de changer de maison soit digne d'être célébré, mais parce qu'un événement social et public normaliserait la situation aux yeux de la fillette, lui enlèverait tout ce qu'elle avait de honteux en la rendant acceptable, une réalité qu'elle pourrait aborder avec ses amies. Il passa de nombreux appels, demanda à ses connaissances de faire de même et proposa à Beatriz d'inviter une camarade d'école. Le dimanche suivant, à l'heure du déjeuner, la nouvelle maison grouillait de monde et Mallarino se félicitait d'avoir eu cette excellente idée. Rien ne laissait présager ce qui allait survenir ensuite.

Il y avait du soleil, un soleil violent étrange pour la saison, et les portes de la maison étaient grandes ouvertes. Au-dessus des têtes soufflait un vent fantomatique qui faisait bruisser le feuillage des eucalyptus et craquer leurs longues branches. Mallarino allait et venait au rez-de-chaussée, gagné par une sensation bizarre, comme si c'était lui et non les autres qui était en visite. Il n'avait jamais organisé de fête, c'était plutôt du ressort de Magdalena, qui choisissait les plats, déplaçait un ou deux meubles afin de permettre aux invités de mieux circuler, accueillait les convives, les débarrassait de leurs vestes qu'elle déposait sur le lit conjugal avec une nonchalance étudiée, se chargeait aussi de faire les présentations, lâchant une phrase banale permettant de lancer une conversation entre deux personnes qui ne s'étaient jamais rencontrées. Les gens se prêtaient invariablement à ces jeux sans avoir conscience du pouvoir que sa voix exerçait sur eux, ignorant parfois que cette même voix les avait captivés alors qu'ils écoutaient une émission de radio dans un moment de solitude, un jour de la semaine. (Mallarino s'était souvent dit que l'affection qu'éprouvaient les gens pour Magdalena venait de là : ils l'avaient entendue lorsqu'ils se sentaient mélancoliques ou seuls et sa voix leur avait raconté des histoires, les avait rassurés, leur avait fait oublier leurs soucis, leurs derniers échecs, leurs succès mensongers. Puis ils la voyaient et ne s'expliquaient pas pourquoi sa personnalité leur semblait si magnétique et sa façon de parler si fascinante.) Mais ce dimanche, Magdalena n'était pas là. Elle avait refusé – subtilement, tendrement – de venir. Elle avait jugé que c'était mieux ainsi, pour que Beatriz se familiarise avec la division qui s'était opérée dans sa vie, sache occuper tour à tour des univers parallèles où l'un de ses parents n'existait pas et n'avait aucune raison d'exister. De son côté, Beatriz donnait l'impression de s'accommoder avec naturel de la situation : elle s'était postée devant la porte pour accueillir son amie, endossant parfaitement son rôle de maîtresse de maison, et avait elle-même demandé à la mère de Samanta si celle-ci pouvait rester dormir. Samanta Leal, ainsi s'appelait la camarade de Beatriz : une fillette plus timide qu'elle aux yeux intensément verts, à la petite bouche charnue, au visage encadré par une frange de poupée ancienne et dont le nez ne laissait pas encore présager ce qu'il deviendrait par la suite. Elle portait une jupe grise d'écolière (Mallarino songea que ses genoux ne seraient plus si propres ni si lisses en fin d'après-midi), des souliers vernis bordeaux et des socquettes. Elle ne ressemblait en rien à sa mère, qui pénétra brièvement dans la maison – comme le font les mères pour s'assurer que tout est normal ou semble être normal, pour se convaincre dans la mesure du possible qu'il ne va rien arriver à leur fille dans un lieu inconnu – et inspecta les murs nus et les cadres entreposés, certains encore emballés dans leur papier protecteur.

« Je viens juste d'emménager, déclara Mallarino alors qu'elle ne lui avait demandé aucune explication.

– Oui, je sais », répondit-elle, sans lui dire d'où elle tenait cette information.

Elle portait des bottes en cuir marron qui lui arrivaient aux genoux et un manteau dans les tons ocre, une broche en forme de libellule épinglée sur le revers.

« Alors votre femme n'est pas là, dit-elle. Enfin, je veux dire… la mère de Beatriz, elle n'est pas là ? ajouta-t-elle en reformulant sa phrase.

– Elle nous rejoindra plus tard. »

Ce n'était pas vrai : Magdalena ne viendrait chercher Beatriz que le lendemain. Mais il pensait que ce pieux mensonge était positif, qu'il rassurerait la mère de Samanta et lui éviterait de se faire du souci pour rien.

« Chercher Beatriz ?

– Oui, elle va passer la chercher, mais beaucoup plus tard, elles auront le temps de jouer.

– Ah, tant mieux. Au fait, c'est le papa de Samanta qui va la récupérer. C'est lui qui viendra, pas moi. À quelle heure ça vous arrange ?

– Quand il veut, mais qu'il prévoie un peu d'avance, parce que si Samanta est comme ma fille, il aura du mal à la sortir d'ici. »

La femme ne sembla pas partager ce trait d'humour. *Encore une qui ne m'apprécie pas*, songea Mallarino. Il en eut la confirmation au moment de prendre congé d'elle, quand après lui avoir tendu la main et s'être dirigée vers la porte, elle se tourna à demi et, presque par-dessus son épaule, lui demanda :

« Vous êtes le caricaturiste, n'est-ce pas ?

– Tout à fait, je suis le caricaturiste.

– Oui, c'est bien ça. Je me suis renseignée pour savoir où allait ma fille. »

Elle semblait sur le point d'ajouter quelque chose, au lieu de quoi elle garda un silence gêné. Un chien aboya. Mallarino le chercha sans succès ; il s'aperçut qu'un autre invité venait d'arriver.

« Bon, je vous la confie, dit la femme. Merci beaucoup. »

À présent, Mallarino les avait perdues de vue. Il les voyait passer par instants, entendait et reconnaissait par instants la voix de Beatriz, son timbre délicat de clochette unique entre tous et, par instants, quelque part au fond de lui, il percevait les pas des deux fillettes réunies, des pas vifs, rapides et à l'écart, très à l'écart du monde des adultes. Il se servit un whisky, but une gorgée à la saveur boisée et sentit son estomac le brûler. Il sortit dans le petit jardin où les invités paraissaient plus nombreux qu'ils ne l'étaient en réalité, leva la tête, ferma brièvement les yeux pour apprécier le soleil et, les yeux clos, il compta un, deux nuages ou deux ombres qui filèrent rapidement sur le fond du ciel. Il aimait ce jardin : Beatriz pourrait y passer de bons moments. Sur les marches, il veilla à ne pas renverser un cendrier rempli de mégots ; plus loin, près du mur, quelqu'un avait laissé tomber un morceau de viande qui avait à présent l'aspect dégoûtant d'une crotte de chien. À côté du rosier se tenait Gabriel Santoro, professeur à l'université El Rosario, venu avec son fils et une amie étrangère et, à quelques mètres, près d'un tas de tuiles et de carreaux qui n'avaient pas été utilisés pendant les travaux et que personne n'avait encore déblayés, Ignacio Escobar discutait avec la présentatrice d'un journal télévisé et son fiancé du moment : Monsalve ou Manosalbas, Mallarino oubliait toujours son nom. Se pouvait-il qu'il y ait plus d'inconnus que de têtes familières à cette fête ? Et si tel était le cas, qu'est-ce que ça signifiait ?

« Ah, enfin ! s'exclama Rodrigo Valencia en le voyant. Venez, Javier, venez trinquer avec nous, bon sang, ou je vais finir par croire que vous n'adressez pas la parole à vos invités. »

Rodrigo Valencia ne tutoyait jamais personne, pas même ses enfants, mais sa façon de parler était si physique – faite d'interjections et de grandes tapes, de mains posées sur les épaules de ses interlocuteurs, d'inclinations exagérées de son corps rondouillard – que nul ne doutait de sa cordialité et de sa confiance.

« Cet homme deviendra le plus grand, souvenez-vous de ce que je vous dis. Il est déjà grand, mais un jour il sera le plus grand. Souvenez-vous-en », dit-il en donnant une accolade à Mallarino.

Les destinataires de la prophétie, chacun un verre d'eau-de-vie à la main, étaient Elena Ronderos, la femme de Valencia, et un journaliste d'*El Independiente*, Gerardo Gómez, qui rentrait d'un exil de dix-huit mois au Mexique. Comme Mallarino, il avait reçu une lettre de menaces anonyme mais, dans son cas, pour des raisons que personne ne comprenait très bien, la police avait jugé prudent de l'envoyer hors du pays le temps que les choses se calment.

« Le temps que ça se tasse, c'est ce qu'ils m'ont dit, déclara Gómez. On ne vous a pas dit ça, à vous ? On ne vous a jamais demandé de quitter le pays ?

– Jamais, répondit Mallarino. Qui sait pour quelle raison.

– Peut-être parce qu'un dessin, c'est moins direct qu'un article, fit le journaliste.

– Mais plus de gens le voient, objecta Valencia.

– Oui, mais les dessins sont moins directs, affirma Gómez. Et en général, les gens ne brillent pas par leur subtilité. Dites, Javier, qu'est-ce que vous ferez s'ils vous envoient de nouveau une lettre ?

– Ils n'enverront rien du tout. Il y a presque un an que je l'ai reçue.

– Mais s'ils le font ? Vous devez penser à la manière dont vous réagirez.

– Ils n'enverront rien du tout, répéta Mallarino.

– Pourquoi en êtes-vous si sûr ? Vous n'allez pas vous dégonfler, tout de même ?

– C'est plutôt votre père qui est un dégonflé, rétorqua Valencia, qui pouvait se permettre ce genre d'insolence. Vous avez vu sa caricature de dimanche dernier ? C'est une torpille, Gómez, une torpille, et je ne dis pas ça parce que Mallarino est ici. Ce dessin est une merveille digne de Goya. Une créature très bizarre, une sorte de chauve-souris avec la tête du ministre des Finances. Et la légende dit : "Il faut faire peur aux gens pour apaiser les marchés." Qu'est-ce que vous pensez de ça ? On a déjà reçu plusieurs appels du service de presse du ministère. Ils sont fumasses ! Alors ne nous racontez pas de conneries, Gómez, personne ne se dégonfle. N'allez pas croire…

– Qu'est-ce qu'il fait ici, celui-là ? » le coupa Gerardo Gómez.

Il regardait du côté de l'entrée, au-delà de la porte coulissante du jardin où se reflétaient les arbres, le ciel clair et les vêtements des invités, au-delà du fauteuil sur lequel Beatriz et son amie jouaient entre elles, au-delà du dossier du canapé en cuir et de la table basse, des livres d'art et du vase vide qui y trônaient, des minuscules verres à liqueur que les convives y avaient posés.

Un homme venait d'entrer ; immobile au milieu du salon, il avait les yeux perdus dans le vide, comme s'il attendait quelqu'un, puis Mallarino comprit qu'il regardait la cheminée, ou plutôt le mur au-dessus de la cheminée, le grand espace blanc occupé par le seul tableau qu'il avait eu le temps d'accrocher : un des premiers nus de Magdalena, peint au début des années 1970 ou avant, du temps où ils n'étaient pas encore mariés, à l'époque où son corps était encore une découverte. Nul ne pouvait savoir qu'il s'agissait d'elle car la femme du tableau avait le visage caché par des oreillers, mais l'homme l'observait (il observait les divers tons de blanc des draps en désordre, sa poitrine dénudée et son grain de beauté sur le sein gauche, près du téton détendu), comme si une faculté mystérieuse lui avait permis de la reconnaître. Mallarino, quant à lui, avait identifié l'homme, Adolfo Cuéllar, un député conservateur du Congrès qu'il avait souvent caricaturé ces dernières années, avec une fréquence accrue depuis quelques mois, au point de connaître par cœur ses grandes oreilles, les taches de rousseur enfantines qui constellaient son visage et la coupe stricte de ses cheveux gominés. Sa réputation lui avait valu d'être la cible de plusieurs attaques dans la presse libérale. Peu d'hommes publics exhibaient leur réputation à la manière de Cuéllar, perchée sur son épaule comme un perroquet ou enroulée autour du cou comme le font les montreurs de serpent. C'était peut-être cela, la réputation : le moment où une présence crée, pour ceux qui la remarquent, un précédent illusoire. La dernière caricature de Mallarino avait été publiée après le meurtre d'une infirmière rouée de coups de houe par son mari, dans un village de Valledupar. « C'est regrettable, avait déclaré Cuéllar au micro d'un journaliste. Mais en général, quand on bat une femme, c'est qu'il y a une raison. » Mallarino l'avait croqué debout dans une forêt de pierres tombales, avec une tête démesurée, pour bien faire ressortir ses taches de son et sa coupe de cheveux, revêtu d'un costume trois-pièces, une houe à la main ; au fond, assise sur une pierre, animée d'une incontestable expression d'ennui, se tenait la Mort en longue tunique noire, soutenant sa faux entre ses bras croisés. *En général, quand on se retrouve sans travail*, lisait-on sous le dessin, *c'est qu'il y a une raison*. Et voilà qu'à présent, l'homme – « l'homme à la houe », ainsi que l'avait déjà surnommé un journaliste de l'hebdomadaire *Semana* – se trouvait chez Mallarino. « Qu'est-ce qu'il fait ici, celui-là ? » avait demandé Gerardo Gómez. « C'est la question que je me pose », dit Mallarino, qui n'eut même pas le temps de terminer sa phrase. « C'est la question… », souffla-t-il avant de voir Rodrigo Valencia s'essuyer la bouche avec une serviette en papier (sur sa lèvre supérieure, il restait encore quelques miettes blanches et tenaces) et s'éclaircir la gorge en cabotinant.

« C'est moi qui l'ai invité, expliqua-t-il. *Mea culpa*, Javier. J'ai oublié de vous prévenir.

– Comment ça, vous l'avez invité ?

– Il m'a appelé vendredi, mon vieux. Pour me supplier. Il voulait absolument parler à Javier Mallarino. Je devais lui obtenir un rendez-vous avec Javier Mallarino. Il m'a tellement fait chier que je n'ai pas eu le choix.

– Attendez, attendez un peu. Il voulait un *rendez-vous* avec moi ?

– Mettez-vous à ma place, mon vieux, mettez-vous à ma place. Il avait l'air d'être à genoux devant son téléphone.

– Mais… Aujourd'hui ? Un dimanche ? s'étrangla Mallarino. Aujourd'hui ? Un dimanche ? Chez moi ? Vous avez perdu la boule, Rodrigo ?

– Il n'y avait pas moyen de m'en débarrasser autrement. C'est un député, Javier.

– C'est un idiot.

– Un député idiot, lui accorda Valencia. Allez discuter deux minutes avec lui, c'est tout ce que je vous demande. Vous remarquerez qu'il a eu la délicatesse de venir après le déjeuner.

– De ne pas venir s'empiffrer chez moi, vous voulez dire.

– Exactement, Javier. De ne pas venir s'empiffrer chez vous. »

Mallarino rejoignit l'homme à l'intérieur par politesse (le maître de maison se doit d'accueillir un nouveau venu) et aussi par prévention (pour que le nouveau venu ne soit pas vu à l'endroit où la fête bat son plein et n'ait pas l'illusion d'être désiré). Il salua Cuéllar, qui lui tendit une main molle et grassouillette et dont le regard s'arrêta sur l'épaule gauche de Mallarino. Il avait les cheveux plus courts que Mallarino ne l'aurait cru de loin : il observa son front large, complètement dégagé, et remarqua un petit amas de gomina sur sa tempe gauche, une mouche du vinaigre prise dans une toile d'araignée, puis, quand Cuéllar pivota pour s'asseoir, il étudia son os occipital proéminent, comme si quelque chose luttait pour en sortir (quelque chose d'assurément laid : un secret, un passé tortueux). Tout chez ce petit homme inspirait une vive irritation à Mallarino, qui se réjouit d'être plus grand que lui, plus mince, plus élégant malgré sa négligence vestimentaire.

« Merci de me recevoir, Javier, lui dit Cuéllar. Un dimanche, en plus de ça, alors que tu as des invités.

– Je le fais avec plaisir. Par contre, je vous demanderais de ne pas me tutoyer. Je ne vous connais pas.

– Non, bien sûr, justement, balbutia Cuéllar en gesticulant maladroitement. Je peux enlever ma veste ? »

Il la retira et Mallarino vit son gilet en coton avec des losanges bleus et verts aux lignes violemment brisées par la bedaine de l'homme. Dans ses caricatures, Mallarino n'avait jamais tiré parti de ces courbes dont il venait de découvrir l'existence. Il songea à les exploiter la prochaine fois qu'il le représenterait. Il conduisit Cuéllar dans un coin du salon, tout près de la cuisine, et là, sur deux chaises destinées non pas à être utilisées, mais à rester devant le guéridon du téléphone, ils commencèrent à discuter. Après avoir cherché l'interrupteur à tâtons, Mallarino alluma : dans cet endroit, loin de la baie vitrée qui s'ouvrait sur le jardin, on sentait que la nuit allait bientôt tomber. La lumière jaunâtre éclaira le visage de Cuéllar, dessinant de nouvelles ombres sur ses os et sa peau qui, à présent, bougeait. Cuéllar se baissa pour tripoter son mocassin (son soulier avait peut-être avalé sa chaussette, ce qui est parfois très agaçant, songea Mallarino), puis il se redressa.

« Vous savez, Javier, je voulais vous connaître, je voulais qu'on se voie parce qu'il me semble que vous avez une image… comment dire ? Fausse. De moi, bien sûr. Une fausse image de moi. »

Tout en l'écoutant, Mallarino était allé chercher des verres propres et leur avait servi deux doubles whiskies. Pas question de manquer à ses devoirs, même vis-à-vis d'un homme indigne de sa fête. Des éclats de rire féminins leur parvinrent du jardin. Mallarino leva la tête pour voir qui s'esclaffait ainsi ; pendant ce temps, Cuéllar s'essuyait les mains sur son pantalon en tendant les doigts, comme s'il voulait que son interlocuteur remarque la propreté de ses ongles.

« Je ne suis pas l'homme de vos caricatures. Je suis différent. Vous ne me connaissez pas.

– Je viens de vous le dire : vous et moi, on ne se connaît pas.

– On ne se connaît pas, répéta l'autre. J'ai pourtant l'impression que vous êtes injuste envers moi, désolé de vous le signaler. Je ne suis pas quelqu'un de mauvais, vous comprenez ? Je suis quelqu'un de bon. Vous pouvez demander à ma femme et à mes enfants, j'en ai deux, deux petits garçons. Posez-leur la question et vous verrez qu'ils vous répondront que je suis quelqu'un de bon. Les pauvres petits. Je ne leur montre pas vos dessins, ma femme non plus. Désolé de vous dire tout ça, désolé. »

Mallarino avait du mal à le croire : cet individu était venu jusque chez lui pour le supplier. *Il m'a supplié*, avait dit Valencia. *Il avait l'air d'être à genoux devant son téléphone*. Le mépris le gagna, solide, aussi palpable qu'une tumeur. Qu'est-ce qui l'irritait à ce point ? Sans doute le ton humble qu'avait adopté Adolfo Cuéllar en baissant la tête, des ombres sous le nez, les avant-bras posés sur ses genoux (la pose d'un homme qui se confesse à un ami prêtre, un pécheur hors du confessionnal), ou alors le respect avec lequel il traitait Mallarino qui, à l'évidence, ne lui en témoignait aucun. Je l'ai humilié, songeait le caricaturiste, je l'ai ridiculisé et il vient me lécher les bottes. Quel type répugnant. Oui, c'était cela : une répugnance imprévisible et par là même intense, une répugnance à laquelle Mallarino n'était pas préparé. Il s'était attendu à des plaintes, des protestations et même des diatribes ; quelques minutes plus tôt, il avait salué cet homme avec hostilité afin de mieux contrer celle de cet individu, comme l'employé en faute qui entre dans le bureau de son supérieur, frappe du poing sur la table, parle fort et lance de petites attaques préventives. Et voilà qu'à présent Mallarino se rendait compte que Cuéllar était venu non pas exiger qu'il cesse immédiatement ces dessins agressifs, mais s'humilier davantage devant son agresseur. C'est un adulte, songeait Mallarino, un homme adulte et je l'ai humilié, il a une femme, des enfants et je l'ai ridiculisé, or il ne se défend pas, le chef de famille ne riposte pas aux coups par des coups de même nature ; il s'humilie au contraire davantage, se couvre encore plus de ridicule. Mallarino se sentit bizarrement pris d'une émotion confuse qui allait bien au-delà du simple mépris. Ce n'était ni de l'énervement ni de la gêne, mais cela ressemblait dangereusement à de la haine et il s'en inquiéta.

« S'il vous plaît, Javier, disait Cuéllar, s'il vous plaît, arrêtez de me caricaturer comme vous le faites, je ne suis pas comme ça. C'est ce que je suis venu vous demander, monsieur Mallarino, ajouta-t-il en cessant de l'appeler par son prénom, s'exprimant d'une voix chevrotante et nerveuse (avec la même fébrilité que Beatriz lorsqu'elle léchait ses mains desséchées). Merci de me recevoir et de m'écouter, pardonnez-moi d'abuser de votre temps, enfin…

je veux dire… merci de bien vouloir me consacrer un peu de votre temps. »

Il est faible, il est faible et c'est pour ça que je le déteste, pensait Mallarino en l'écoutant. Il est faible et moi, maintenant, je suis fort et je le déteste parce qu'il fait ressortir ma force, qu'il me permet d'en abuser, qu'il me démasque, oui, il démasque un pouvoir que je ne mérite sans doute pas. Vue de la chaise, la porte coulissante du jardin avait pris l'aspect d'un grand rectangle lumineux et Mallarino voyait se découper sur ce fond clair les silhouettes des invités qui entraient peu à peu dans la maison.

« La fraîche est tombée », s'entendit-il murmurer.

La maison s'emplit de dialogues animés, de rires francs ou plus discrets ; quelqu'un demanda où était le tourne-disque, quelqu'un d'autre, Gómez ou Valencia, se mit à chanter sans attendre que la musique s'élève. *Te vi llegar y sentí la presencia de un ser desconocido*[1], une chanson qu'aimait Magdalena, mais il n'y avait aucune raison pour que Valencia ou Gómez le sachent ou sachent que ces vers rappelaient à Mallarino sa femme absente, le grand vide qui s'ouvrait dans sa vie sans elle, et l'amenaient à tout regretter, à tout regretter intensément : *Te vi llegar y sentí lo que nunca jamás había sentido.* Adolfo Cuéllar venait à nouveau de lui demander pardon : pour avoir abusé de son temps, pour s'être introduit chez lui un dimanche. Il lui parlait de l'image qu'un père renvoie à ses enfants et

1. Célèbre *ranchera* de José Alfredo Jiménez. Littéralement : « Je t'ai vue arriver et j'ai senti la présence d'un être inconnu / Je t'ai vue arriver et j'ai senti ce que jamais auparavant je n'avais ressenti. »

de la manière dont ses enfants grandiraient avec l'image que Mallarino avait donnée de sa personne.

« Faites-le pour eux, lui disait-il. Faites-le en pensant au père que vous êtes », demandait-il ou implorait-il.

Mallarino observait ses oreilles, son nez, les os de son front et de ses tempes en songeant au curieux dédain que lui inspiraient ces os et ces cartilages, en se disant que même si Adolfo Cuéllar ne lui avait pas semblé un petit personnage répugnant, il aurait continué de le caricaturer à cause de ses os et de ses cartilages. C'est la faute de ses os, pensait-il, c'est toujours la faute des os et des cartilages. Les os sont la seule chose qui compte, conclut-il. Ce sont eux, dans la forme du crâne et l'angle du nez, la largeur du front, la force ou la pusillanimité des maxillaires, les creux du menton, ses pentes délicates ou abruptes, ses ombres plus ou moins prononcées, qui déterminent une réputation ou l'image qu'on renvoie de sa personne : donnez-moi un os et je soulèverai le monde. Les politiciens l'ignorent, ils ne s'en sont pas encore rendu compte, ou peut-être que si, mais c'est irrémédiable : on naît avec son ossature, il est très difficile d'en changer, et on passera sa vie avec les mêmes faiblesses ou en s'efforçant toujours de les compenser : quelqu'un ne disait-il pas qu'un homme qui a du succès est tout simplement un homme qui a réussi à dissimuler un complexe ? Dans le salon, debout à côté d'une silhouette qui arrachait et froissait de vieux journaux afin d'inaugurer la cheminée de la nouvelle maison, Rodrigo Valencia – c'était lui, c'était Valencia, Mallarino l'avait reconnu – chantait à tue-tête ces vers sur l'amour, qui n'est ni feu ni lumière, suivis de ceux que Magdalena aimait tant, à propos des distances qui séparent les villes et des villes qui brisent les habitudes, et, à chacun de ces vers, Mallarino avait l'impression qu'Adolfo Cuéllar, qui venait de prendre une gorgée de whisky et faisait une mimique grotesque en l'avalant, croulait de plus en plus sous le poids de l'humiliation et de l'impudeur. Une flambée éclaira le salon. Cuéllar était incroyable : comment pouvait-il s'infliger de si grandes souffrances ? À moins que se mettre à genoux devant la personne qui le fustigeait ne le fasse pas souffrir. Mallarino s'apprêtait abruptement à lui poser la question, mais un bruit de verre brisé l'en empêcha et, avant qu'il ait eu le temps d'en découvrir la provenance, il vit s'avancer vers lui Elena Ronderos à grandes enjambées en agitant les mains, comme pour effacer une phrase maladroite sur un tableau noir.

« Dites, Javier, venez vite. Il y a un problème avec les filles. »

Les adultes découvrirent alors que Beatriz et sa petite camarade avaient passé l'heure qui venait de s'écouler à fureter dans la maison, ratissant la moindre surface où il restait des verres à demi bus, chaque table du salon, chaque marche d'escalier, chaque étagère où des invités avaient laissé un fond d'eau-de-vie, de whisky ou de rhum blanc, et les deux fillettes s'étaient pris une bonne cuite qui les avait clouées au sol dans la chambre de Beatriz, comme deux papillons de collection, et leur interdisait ne serait-ce qu'ouvrir les yeux et répondre aux questions qu'on leur posait. Elles avaient brisé l'un des cadres qui attendaient au pied des murs qu'on leur assigne une place ; le cadre et trois ou quatre triangles de verre étaient encore éparpillés par terre. Mallarino voulut les ramasser, mais commença par soulever sa fille ; quelqu'un d'autre, il ne savait pas qui, s'occupa de Samanta Leal et, quelques secondes plus tard, les deux amies étaient allongées sur le lit de la grande chambre, l'une à côté de l'autre, semblables à deux plumes sur une feuille de bristol, parfaitement inconscientes et immobiles. Une femme dont Mallarino avait oublié le nom apporta de la cuisine un torchon mouillé qu'on appliqua tour à tour sur le front des petites filles, compresse fugace sur les peaux livides et les visages exsangues de Beatriz et de Samanta. Entre-temps, Mallarino avait téléphoné au pédiatre et après quelques minutes il s'assit sur le lit, examina les fillettes en deux ou trois gestes efficaces et posa sur la table de nuit, ou plutôt sur son carnet de notes de caricaturiste, transformé pour l'occasion en sous-verre, une tasse d'eau sucrée et une petite cuillère qui brilla lorsqu'on alluma la lampe de chevet.

« Une cuillerée toutes les vingt minutes et tout ira bien, murmura Mallarino. Une cuillerée, pas plus, et tout ira bien. »

« On s'est soûlées ? demanda Samanta Leal. Je me suis soûlée ?

– Vous avez vidé tous les fonds de verre de la maison, et ça n'était pas drôle, figurez-vous, répondit Mallarino. Vous auriez pu tomber dans le coma.

– Je ne me souviens de rien. Je ne me souviens plus de votre fille. On était très amies ?

– Non, pas que je sache. Beatriz changeait de meilleure

amie toutes les semaines. Je suppose que c'est normal, à sept ans.

– Je suppose, oui. Et qui s'est occupé de nous ? Vous ?

– Je passais dans la chambre toutes les vingt minutes et je vous donnais une petite cuillère d'eau sucrée. C'est ce que nous avait dit le médecin. Vous auriez dû voir le cirque que c'était, pour vous les faire avaler.

– Je ne me souviens pas, je ne me souviens de rien.

– Bien sûr que non. Vous étiez dans les vapes, Samanta, complètement dans les vapes. À un moment donné, j'ai même approché un miroir de vos visages pour voir si vous n'étiez pas mortes. Des angoisses de père.

– Personne ne meurt de ça.

– Non, bien sûr, mais je ne pouvais pas le savoir. Disons plutôt qu'un père s'imagine toutes sortes de choses, tout est possible pour un père. Vous aviez l'air évanouies.

– On l'était probablement.

– On ne vous entendait plus respirer. Vous ne ronfliez pas comme des ivrognes. Vous ne bougiez pas non plus, vous étiez sonnées. J'ai étendu une couverture sur vous, une de ces couvertures qu'on piquait autrefois dans les avions, et elle restait parfaitement immobile : chaque fois que j'entrais dans la chambre, elle était comme je l'avais laissée, je crois que j'aurais pu peindre les plis, je les aurais retrouvés au même endroit. Je vous l'ai dit, vous étiez dans le cirage. Remarquez, c'est normal.

– Normal ?

– Je veux dire, une si grande quantité d'alcool dans le corps d'une gamine de sept ans, et pas n'importe quel alcool, mais de l'eau-de-vie et du rhum. En d'autres termes, c'est un bon moyen de tomber directement dans le coma. Vous savez, on était vraiment inquiets. Et vous, vous ne vous souvenez de rien.

– De rien.

– Je vois.

– De rien, répéta Samanta.

– Vous ne vous souvenez pas non plus de ce qui s'est passé ensuite ? Le scandale et tout ça ? reprit Mallarino après un silence. Ça aussi, vous l'avez oublié ? reprit-il en marquant une nouvelle pause. Je vois. C'est pour ça que...

– Oui, répondit Samanta, c'est pour ça.

– Je vois, souffla Mallarino avant d'observer un silence. Mais vous devez quand même vous rappeler certaines choses. »

Samanta ferma les yeux.

« Je me souviens de mon père me soulevant du lit. Ou peut-être pas, peut-être que je crois me souvenir de mon père me soulevant du lit parce que je me souviens qu'il m'a couchée dans la voiture, sur la banquette arrière. Et s'il m'a portée jusqu'à la voiture, c'est qu'avant, il a dû me soulever du lit, non ? Mon père m'a prise dans ses bras et emmenée jusqu'à la voiture, n'est-ce pas ?

– Je crois, oui.

– Vous croyez, c'est tout ?

– Je ne me rappelle plus trop. Comprenez-moi, j'étais chamboulé. Tout le monde l'était à ce moment-là.

– À cause de l'alcool qu'on avait bu », dit Samanta.

Ce n'était ni une question ni une affirmation, mais autre chose.

« Non, non, répliqua Mallarino. Vous savez bien que

non. Cette histoire d'alcool était réglée, vous dormiez toutes les deux, vous étiez sous bonne garde, je passais toutes les vingt minutes pour la cuillerée d'eau sucrée, je maîtrisais la situation.

– Tout le monde était chamboulé à cause de quoi, alors ?

– Vous savez bien à cause de quoi.

– Non, justement pas. Je ne sais rien du tout, déclara la jeune femme. J'aimerais savoir, ajouta-t-elle au bout d'un moment. Je veux que vous me racontiez… donc, vous vous occupiez de nous…

– Oui.

– Vous passiez nous donner une cuillerée d'eau sucrée.

– C'est ça.

– Toutes les vingt minutes.

– Oui, comme l'avait dit le médecin.

– Et entre deux cuillerées, qu'est-ce que vous faisiez ?

– Je retournais auprès des invités, évidemment. C'est moi qui avais organisé cette fête.

– Ils étaient encore tous là ?

– Oui, presque tous. Je ne me souviens pas d'avoir vu partir quelqu'un.

– Ils étaient tous là quand mon père est arrivé ?

– Je crois, oui. Presque tous, comme je viens de vous le dire. J'étais allé vous faire avaler votre petite cuillère d'eau sucrée, je ne sais plus si c'était la troisième ou la quatrième. La cheminée était allumée, ça, je m'en souviens parfaitement parce qu'il fallait entretenir le feu. J'allais chercher des bûches dans le jardin et je mettais du papier journal dans l'âtre pour relancer les flammes. Les invités avaient investi le bar, ils savaient où étaient les boissons et se servaient eux-mêmes, mais de temps en temps, quelqu'un me demandait quelque chose : des glaçons, un verre propre, une limonade, des cigarettes. Je me souviens vraiment bien de l'odeur de cigarette, ou alors, je crois m'en souvenir parce que depuis j'ai arrêté de fumer. Tout ce que je peux vous dire, c'est que je n'ai pas eu une seconde pour m'asseoir. Entre les bûches pour raviver le feu, tout ce qu'on me demandait et les amis qui me prenaient par le bras pour chanter des *rancheras*, je ne me suis pas assis une minute. Je ne me souviens même plus d'avoir ouvert à votre père. De l'avoir présenté, ça oui : je me souviens de l'avoir présenté et emmené dans le salon où se trouvaient les autres invités en disant : "Voici le père de Samanta, oui, Samanta, l'amie de Beatriz." Bien sûr, tout le monde était tendu : il fallait dire quelque chose, mais personne ne voulait être le premier à ouvrir la bouche. Là, je me suis rendu compte que je m'y étais très mal pris. J'aurais dû tout expliquer à votre père en lui ouvrant la porte. Mais je ne sais plus si c'est moi qui l'ai accueilli, Samanta, il se peut que la porte ait été ouverte et qu'il soit entré tout seul, ce qui change la donne, n'est-ce pas ? Quand on ouvre la porte à un inconnu, il est plus facile de lui expliquer quelque chose d'important. Mais si l'inconnu pénètre seul dans la maison, s'il est là, sous vos yeux, alors on peut oublier de lui parler, vous ne pensez pas ? C'est une étourderie comme une autre... Enfin, peu importe, ce n'est pas une excuse. J'aurais dû tout lui expliquer quand je lui ai serré la main, mais je ne l'ai pas fait et c'était une erreur...

– Pourquoi une erreur ?

– Parce que, du coup, il était sur la défensive. Ne le prenez pas mal, Samanta, mais dès que je l'ai vu, j'ai pensé que votre père n'était pas ou n'est pas – il est encore en vie, je suppose – l'homme le plus décontracté du monde.

– J'avais quinze ans quand il est parti. Je sais qu'au début, il s'est installé au Brésil, puis on n'a plus eu de nouvelles de lui. Qu'est-ce que vous entendez par "décontracté" ?

– Je veux dire qu'on voyait clairement qu'il était timide, je ne sais pas comment expliquer ça, mais il y avait quelque chose en lui qui le mettait en arrière-plan. On sentait qu'il aurait préféré ne pas avoir à venir vous chercher, laisser cette tâche à votre mère. Dans le salon, je l'ai présenté aux autres et il avait du mal à tendre la main, c'était vraiment bizarre, un type de sa taille frappé d'une timidité aussi maladive. Il était grand, votre père, et robuste. Pourtant, au milieu de nous tous, dans le salon, il avait l'air d'avoir rétréci. Sur le moment, je me suis dit qu'il ressemblait à ces hommes imposants qui ne veulent pas attirer l'attention quand ils arrivent quelque part, qui rentrent la tête dans les épaules, comme lorsqu'on se baisse pour passer sous une porte très basse. Mais c'est peut-être normal, n'est-ce pas ? C'est peut-être toujours comme ça quand on débarque dans une fête où les gens sont déjà un peu pompettes. On se sent petit, même si on mesure un mètre quatre-vingts, même si on a des épaules de nageur. En tout cas, c'est l'image que je garde de votre père. Si je me souviens bien, il avait de grandes rouflaquettes et la mâchoire carrée. Vous aussi, vous avez la mâchoire carrée, Samanta, mais elle est différente de celle de votre père. Enfin, peu importe, j'avais fini de faire le tour des invités et votre père avait salué tous ces gens qui le regardaient fixement, et c'est à ce moment-là que je lui ai expliqué ce qui s'était passé. Il a changé de tête, c'est compréhensible, et a demandé où vous étiez, où était sa fille. “En haut, dans ma chambre”, lui ai-je répondu. “Elle va bien, ne vous faites pas de souci, elle dort et elle va bien, votre fille et la mienne vont bien”, ai-je ajouté pour lui montrer que nos deux filles avaient eu le même problème, que vous n'étiez pas la seule et que si j'étais relativement calme, il pouvait l'être lui aussi. “Où est votre chambre ?” m'a-t-il demandé. Je lui ai indiqué le couloir que nous avons emprunté tout à l'heure en lui disant : “Attendez, je vais vous accompagner.” Mais il ne m'en a pas laissé le temps. Je ne me rappelle pas l'avoir vu partir en courant ou marcher rapidement, comme on le fait pour une urgence. Non, absolument pas : il a pivoté, comme ceci, sans rien dire, un peu en colère, je crois, ou indigné, et il a gravi les marches en silence. Je n'avais pas besoin qu'il exprime ce qu'il pensait, je l'avais deviné. Qu'est-ce que c'est cette maison ? se disait-il. Comment est-ce que ma fille s'est retrouvée ici ? Certaines personnes ne savent pas s'adapter aux situations imprévues, et votre père était ce genre d'homme, ça aussi, ça crevait les yeux. Il a monté l'escalier et je l'ai vu tourner sur le palier, là, à gauche, comme nous l'avons fait il y a un moment. Ensuite, je ne l'ai plus vu. Je ne l'ai pas suivi, Samanta, et aujourd'hui je regrette infiniment de ne pas l'avoir fait. Mais pour tout vous dire, j'étais agacé par son impolitesse, par sa rudesse. Eh bien, qu'il aille se faire foutre et se débrouille tout seul, ai-je pensé. Qu'il monte récupérer sa fille, qu'il se trompe de porte avant de trouver la bonne chambre, il verra bien qu'il n'y a pas de quoi s'inquiéter. Qu'il la prenne dans ses bras et qu'ils fichent le camp d'ici. Qu'il aille se faire foutre. Voilà ce que je pensais. Puis j'ai entendu les cris.

– Qui venaient d'en haut.

– Dans un premier temps, oui, a dit Mallarino. Ensuite, quand votre père est descendu, ils ont résonné dans l'escalier en donnant l'impression de rouler comme des ballons, ou plutôt comme des pierres, un éboulis de pierres sur une route de montagne. Un jour, quand Beatriz était encore un bébé, j'ai vu des chutes de pierres près du Nez du Diable. Vous connaissez le Nez du Diable, Samanta ? C'est en allant vers les terres chaudes, un rocher gigantesque, vraiment impressionnant, qui sort de la montagne et passe au-dessus de la route, comme un pont. Les gens racontent que le diable s'arrête sur ce nez de pierre pour provoquer des accidents. Il fait peur ou distrait les conducteurs qui perdent le contrôle de leur véhicule et finissent dans le précipice, très profond à cet endroit. Une roche en saillie dans la montagne et une chute dans le vide. Au fond du ravin, on peut voir des carcasses de voitures. Si les conducteurs ne meurent pas en tombant, ils succombent au manque de secours, parce que personne ne peut atteindre ces profondeurs. S'ils crient, personne ne les entend… Ma femme et moi allions passer la semaine sainte à Melgar, je crois. C'étaient les premières vacances de Beatriz que sa mère, Magdalena, tenait dans ses bras sur la banquette arrière. C'est là que les pierres ont dégringolé. Ils avaient coupé la route un peu avant le Nez du Diable, qu'on voyait de loin parce que la circulation était bloquée. Alors

Magdalena a parlé du diable. “Et s’il apparaît ? S’il nous apparaît, là, debout au milieu de la route ?” Mais on ne l’a pas vu, Samanta, on n’a pas vu le diable. En revanche, on a entendu du bruit et tout s’est mis à trembler, y compris la voiture, et on a vu les pierres rouler le long de la montagne, une explosion de rochers gigantesques qui semblaient vouloir nous prendre pour cible. Pendant quatre ou cinq secondes, on se dit que c’est la fin, parce que si une de ces pierres vous tombe dessus, aucune carrosserie n’y résiste. Tout s’est passé à une vingtaine de mètres de nous, quand je pense que Magdalena et Beatriz étaient derrière… Enfin, c’est un spectacle impressionnant qui effraie même ceux qui ont le cœur bien accroché. Eh bien, figurez-vous que c’est l’impression que m’ont laissée les cris de votre père quand il est descendu du premier étage. Aujourd’hui encore, je trouve incroyable que vous ne vous soyez pas réveillées.

– Moi, je n’ai rien entendu et je ne me rappelle pas avoir été réveillée par des cris. Et votre fille ?

– Non plus. Elle était K-O, dans un autre monde.

– C’est elle qui vous l’a dit ?

– Pardon ?

– C’est elle qui vous a dit qu’elle ne s’est aperçue de rien ?

– En fait, non, répondit Mallarino. Je ne lui ai jamais posé la question, on n’a jamais reparlé de cette soirée. D’ailleurs, je n’ai jamais parlé de cette soirée à qui que ce soit : je n’ai pas eu l’occasion de le faire. Pour tout vous dire, c’est la première fois en vingt-huit ans que j'aborde le sujet, et faire appel à ma mémoire n'est pas facile, j'espère que vous en tiendrez compte.

– Parlez-moi de ces cris.

– Ils étaient comme un éboulis de pierres, Samanta. Je ne sais pas ce qui m'est passé par la tête, mais je n'ai pas été le seul à être surpris : tous les invités qui étaient au salon ont interrompu ce qu'ils étaient en train de faire. Ils ont posé leurs verres, stoppé leurs conversations et ceux qui étaient assis se sont levés. Je crois même que la musique s'est tue, pourtant c'est impossible que la chaîne se soit éteinte automatiquement à cet instant précis. Mais dans mon souvenir, c'est comme ça : la musique s'est tue. La mémoire fait de drôles de choses, vous savez ? Elle arrête la musique, dote les gens de grains de beauté et déplace les maisons de nos amis. Nous nous sommes dirigés vers l'escalier au moment où Adolfo Cuéllar descendait. Je me rappelle avoir vu d'abord descendre Cuéllar. J'ignorais quand et pourquoi il était monté. Il ne m'avait pas demandé la permission de monter, ni où se trouvaient les toilettes, ni rien de ce genre. Il était là, dans le salon, avec nous, prenant congé ou cherchant son manteau, je ne sais pas, je ne sais même pas s'il avait un manteau, et quelques instants plus tard il dévalait les marches, poursuivi par les cris de monsieur Leal. "Eh, vous ! Venez ici, venez ici, je vous dis !" hurlait votre père. Les cris résonnaient aussi fort que ses pas dans l'escalier. Ses pas qui ressemblaient à un éboulis de pierres, Samanta, des pas tonitruants, précipités. "Qu'est-ce qui s'est passé ? Qu'est-ce que vous avez fait à ma fille ?" Ensuite, j'ai en tête l'image de tous les invités groupés dans le couloir, au pied de l'escalier, ou d'au moins une bonne partie d'entre eux, les autres s'étaient attroupés là, sous cette voûte, à l'entrée du couloir. C'était comme un entonnoir, Samanta, essayez de vous représenter un entonnoir et imaginez que c'est par là que Cuéllar est sorti. On s'est croisés, mais je ne l'ai pas arrêté pour lui demander ce qui s'était passé. Ça ne m'a pas semblé nécessaire. Ou alors, ça ne m'est pas venu à l'esprit. Votre père était descendu lui aussi et criait après Cuéllar, coincé derrière un groupe de gens (Valencia, Gómez, Santoro, Elena) qui s'étaient interposés entre lui et Cuéllar en suivant leur instinct, pour éviter une bagarre. Il y a une chose que je n'oublierai jamais : votre père voulait sentir les mains de Cuéllar. "Vos mains ! Laissez-moi sentir vos mains !" hurlait-il. "Laissez-moi sentir vos doigts, espèce de salaud !" répétait-il en l'insultant. Je me suis dirigé vers l'escalier et je suis monté, je tenais à savoir ce qui s'était passé. Enfin, non, ce n'était pas tout à fait ça : plutôt que de savoir ce qui s'était passé, je voulais m'assurer qu'il n'était rien arrivé à Beatriz. À cet instant, pour être franc, je vous dirais que je me souciais davantage de Beatriz que de vous. La porte de ma chambre était entrebâillée et je me rappelle avoir trouvé ça bizarre, puisque votre père en était sorti précipitamment, alors j'ai été étonné qu'il ait pris le temps de pousser le battant. Je songeais à ça en ouvrant. J'ai d'abord vu la couverture, la couverture d'avion jetée par terre, puis je vous ai vue vous, Samanta. Vous dormiez toujours, enfin, vous étiez toujours inconsciente, mais couchée sur le dos et non sur le flanc, comme lorsque je vous avais quittée, vous étiez couchée sur le dos, la jupe légèrement relevée, les jambes écartées ou une jambe repliée, oui, je crois que vous aviez une jambe repliée. J'ai détourné le regard, par prudence, vous comprenez, mais c'était trop tard, j'avais eu le temps de voir. J'ai fait le tour du lit pour vérifier si Beatriz allait bien. J'étais là, de l'autre côté du lit, accroupi près du visage de ma fille, quand votre père est entré. Il m'a regardé et, d'un coup d'œil rapide, il m'a rendu responsable de la situation. Il vous a soulevée, prise dans ses bras, puis il a quitté la pièce. C'était une image parfaitement normale, vous aviez passé les bras autour de son cou, comme le font toutes les fillettes avec leur père. Mais la position de la main gauche de votre père, sous vos fesses, n'était pas normale : il cherchait plus à vous cacher, à cacher votre culotte, qu'à vous soutenir. Je l'ai suivi jusqu'en bas. Les chiens étaient entrés, sans doute attirés par l'agitation, et s'étaient mis à aboyer. Votre père et vous êtes sortis et, depuis la porte de la maison, je vous ai vus monter dans la voiture, je l'ai vu vous étendre sur la banquette et s'asseoir derrière le volant, mettre le contact, faire marche arrière. Je me souviens qu'il avait commencé à pleuvoir ou plutôt à bruiner : je m'en suis rendu compte quand les phares de l'auto se sont allumés, rendant tout à coup les gouttes visibles. Je suis resté là un moment, à regarder les gouttelettes flotter dans l'air, et quand la voiture a franchi le portail de la propriété j'ai fermé la porte, regagné le salon et me suis aperçu qu'Adolfo Cuéllar était parti lui aussi. Les chiens aboyaient encore. Le feu s'était éteint. Quelqu'un, je ne me rappelle plus qui, m'a demandé son manteau. Les invités s'en allaient.

– Et la fête s'est terminée, a fait observer Samanta.

– Exactement. J'ai fait la caricature le lendemain et elle a été publiée le surlendemain. »

À l'époque, être abonné à un quotidien équivalait à attendre chaque matin la transformation du monde, tantôt comme une secousse brutale de tout ce qu'on connaissait, tantôt comme une subtile porte d'accès à une réalité déplacée : la cordonnerie que les lutins viennent visiter la nuit. Après son déménagement, la première démarche de Mallarino avait été de s'assurer que les distributeurs de journaux avaient mis à jour son changement d'adresse, car il pouvait se passer de café et de petit déjeuner, d'eau potable et de téléphone, mais pas de son journal posé devant sa porte, encore humide du brouillard nocturne, encore empreint de la froidure de l'aube dans les montagnes, mais prêt à se laisser ouvrir par Mallarino, qui ressemblait à un enfant – en pyjama, les yeux encore embués de sommeil – déballant ses cadeaux de Noël. Rockefeller ne se faisait-il pas envoyer sa propre version du *New York Times*, une version édulcorée, débarrassée de toutes les mauvaises nouvelles ? Mallarino n'avait jamais compris cela, lui que l'indignation, la rage ou la haine maintenaient en vie. Comment renoncer au sentiment de supériorité intense qui vous gagne lorsque vous détestez quelqu'un ? Cette émotion donnait un sens à ses matinées. Ce jour-là, Mallarino alla directement à la rubrique « Opinion » et y découvrit son encadré dont il avait épaissi les contours pour l'occasion et, au centre, une sorte de promontoire apparemment en terre, comme une petite colline. De nombreuses têtes encerclaient la base de la colline, toutes de dos, avec de longues chevelures raides, certaines retenues par des rubans enfantins. Au sommet du promontoire se tenait Adolfo Cuéllar – les os et les cartilages d'Adolfo Cuéllar –, qui portait un gilet avec des losanges aux lignes brisées par son ventre proéminent. Il écartait les bras, comme pour chercher à embrasser le monde entier, son visage constellé de taches de rousseur tourné vers le ciel. Mallarino avait écrit sa légende à la manière de Ricardo Rendón, mettant comme dans un roman le nom du personnage et un tiret pour précéder ses propos fictifs, de sorte que les lecteurs (les millions de gens qui avaient ouvert le journal en même temps) pouvaient découvrir sur la page la plus lue d'*El Independiente* le texte suivant :

*Adolfo Cuéllar, député :*
*– Laissez les petites filles venir à moi.*

Ce n'était pas la première fois que Mallarino faisait une caricature « détachée du contexte », ainsi qu'il qualifiait les dessins sans référence immédiate à l'information ou à un événement connu du grand public. Mais il ne s'était jamais senti aussi sincère. L'image s'était ébauchée dans sa tête le lendemain de la fête, dès qu'il avait été seul dans sa nouvelle maison, trouvant cette situation si étrange qu'il s'était réfugié dans la routine de son travail pour ne pas succomber à la mélancolie. Il était encore sous le choc de l'affrontement – car il avait vécu un affrontement, un moment de violence –, et s'était réveillé dans un état d'épuisement soudain, comme après un accident. Il sentait une tension dans les épaules, le cou, à la taille ; son hernie le faisait toujours souffrir dans des instants tels que celui-ci et la douleur irradiait dans sa jambe gauche… Il prit une longue douche puis, encore en peignoir, commença à dessiner. Il n'éprouvait ni haine ni indignation, mais quelque chose de plus abstrait, une vague inquiétude semblable à la conscience d'une possibilité… d'un pouvoir, oui, c'était cela : la conscience d'un pouvoir imprécis. Vingt-cinq minutes plus tard, sans compter le temps qu'il avait mis à préparer son matériel, le dessin était achevé. Mallarino se servit une bière, alluma une cigarette et alla s'asseoir dans le jardin avec le roman qu'il était en train de lire : « Hier soir, en plongeant ma main gauche dans le coffret où je garde mes papiers, les bestioles ont grimpé jusqu'à mon avant-bras ; elles agitaient leurs petites pattes, leurs antennes, essayant de sortir à l'air libre. » Les reptiles rampaient sur la peau du narrateur et Mallarino songeait à Adolfo Cuéllar ; il pensait à Adolfo Cuéllar, se rappelait ses suppliques, ses os, ses cartilages, ses flatteries pendant que le narrateur exprimait son infinie sensation de dégoût. À présent, la caricature avait été expédiée à l'extérieur, dans le monde réel, là où les opinions ont des conséquences, où les réputations sont fragiles ; il n'y avait plus moyen de faire marche arrière et Mallarino s'en fichait.

Le jour de la publication d'une caricature spéciale, Rodrigo Valencia avait l'habitude d'appeler Mallarino, car même en ayant vu le dessin la veille, dans l'après-midi, il ne lui semblait pas inutile d'apporter un soutien moral au caricaturiste dont l'œuvre était exposée au grand jour. Mais ce matin-là, Gerardo Gómez devança le directeur du journal. « C'est génial ! Et moi qui vous ai traité de dégonflé, je suis désolé. » Valencia, qui l'appela aussitôt après, jugea que c'était une déclaration (mais peut-être parla-t-il de « dénonciation ») dure, mais nécessaire : certaines choses devaient être dites et seule la caricature s'y prêtait. « Si vous n'abordez pas la question, alors personne ne le fera, ajouta-t-il. Bon. Allez vous reposer. Ici, à la rédaction, on est prêts à encaisser la suite. » Les coups de fil de protestation ne se firent pas attendre : la secrétaire de Cuéllar, sa femme qui vociférait dans l'appareil, un avocat qui affirma le représenter et avait décidé d'engager des poursuites. « Mais ne vous en faites pas, Javier, il ne se passera rien, lui dit Valencia. Intenter un procès pour une caricature de ce genre équivaut à accepter ce qu'on vous reproche. Et puis, vous êtes quand même Mallarino, ne nous y trompons pas, et ce journal est ce qu'il est. » Il y eut une *Lettre au directeur* : « Nous désapprouvons haut et fort… » « Cette attaque injuste contre l'image d'un de nos plus distingués serviteurs publics… » « Nous qui avons défendu avec ardeur les couleurs de la patrie, nous dénonçons l'utilisation partisane des médias nationaux… » Elle était signée les *Amis du député Adolfo Cuéllar* ; pour Mallarino, cette lettre, qui malgré sa signature collective avait tout du billet anonyme au style aussi ampoulé et faussement élégant – quoique dépourvue des majuscules et des fautes d'orthographe caractérisant ce genre de courrier –, légitimait de manière vague, inexplicable et sans doute superstitieuse le bien-fondé de son dessin et ce qu'il suggérait. *Ce que le dessin suggérait* : il n'affirmait rien, ne dénonçait rien, estimait Mallarino, mais agissait plutôt comme un murmure pendant une réunion, un regard de travers, un doigt qui se lève en privé sans que le public s'en aperçoive. Les caricatures possèdent de curieuses propriétés chimiques : peu à peu, Mallarino prit conscience que, quelle que soit la défense qu'adopterait Cuéllar pour se protéger ou que d'autres personnes organiseraient en son nom, elle ne ferait que précipiter son discrédit, comme si la seule véritable ignominie consistait à mentionner la caricature. Quel étrange mécanisme que celui qui transforme une attaque journalistique en sables mouvants sur lesquels il vous suffit de trépigner pour vous enfoncer davantage, irrémédiablement. Mallarino se rendit compte qu'en isolant son offensive de tout événement concret et vérifiable, en la présentant comme un acte gratuit, il rendait la défense impossible, voire ridicule : il est difficile de répondre à un non-dit, à moins, justement, de le formuler. En outre, l'attaque gratuite avait une espérance de vie plus longue. Le vendredi suivant, lorsque Magdalena déposa Beatriz chez lui pour le week-end, la caricature aurait déjà dû sombrer dans l'oubli, être entraînée ou éclipsée par l'actualité trépidante (peut-être le nouveau président et son investiture prochaine, ou alors le tremblement de terre qui avait fait de nombreuses victimes dans un petit pays non loin de la Colombie), ou encore devenir le cadet des soucis de ce monstre capricieux et inconstant qu'est le lecteur de la presse quotidienne. Ce n'était pas le cas : elle n'était passée ni aux oubliettes ni au second plan, mais s'était au contraire insufflé une vie propre et se promenait dans la ville, libre et aventureuse, rebondissant dans tous les coins.

C'est en tout cas ce que Magdalena chercha à dire à Mallarino en arrivant chez lui. Il lui ouvrit la porte, la salua d'une accolade et eut une poussée de désir lorsqu'il effleura son chemisier bleu : il avait toujours aimé ce vêtement, la façon dont il faisait ressortir les courbes de ses seins, et fantasma un peu en songeant qu'elle l'avait peut-être choisi intentionnellement. Une cordialité nouvelle s'était installée entre eux deux après l'incident de la fête : Mallarino pensait que c'était sans doute dû à la conscience du péril qui rôdait, aux faits malheureux qui avaient frôlé leur existence sans la toucher, car avec une sagesse toute féminine, Magdalena avait passé sous silence sa négligence à propos des fonds de verre pour s'attacher à ce qui avait eu lieu ensuite, autrement plus sérieux et inquiétant. Elle avait quelque chose à lui raconter, déclara-t-elle en s'agitant, étrangement énervée. Ça ne le dérangeait pas qu'elle reste un moment ? Et là, assis à la table de la salle à manger, ils dînèrent avec Beatriz (comme avant, songea Mallarino en gardant cette réflexion pour lui, comme ils le faisaient dans le monde qu'ils avaient perdu, un monde qu'il leur faudrait récupérer), ils burent une tasse de thé fumant qu'ils serrèrent dans leurs mains en attendant que la petite ait pris sa douche, mis son linge au sale et se soit brossé les dents avec une brosse dont le manche était une fée maigrichonne, puis Magdalena lui raconta qu'on avait découvert la page de la rubrique « Opinion » d'*El Independiente* épinglée sur le panneau d'affichage de l'école d'un des fils Cuéllar, et ajouta que l'aîné des garçons s'était battu avec un camarade qui avait fait un commentaire désobligeant sur son père.

« Tu imagines ? s'exclama Magdalena d'un ton en apparence consterné, mais qui aurait tout aussi bien pu exprimer autre chose. À l'école ! »

Mallarino l'écoutait, moins attentif à son récit qu'à la récente complicité qui les unissait à cet instant, une concordance qu'ils n'avaient pas sentie depuis longtemps, mais peut-être était-ce là l'étrange émotion qu'éprouvent les parents lorsqu'ils s'unissent pour protéger leur enfant.

« Il a posé des questions ? lui demanda Mallarino.

– Non, aucune.

– Et la petite Samanta Leal ? On a des nouvelles ?

– Non, rien du tout. Il va falloir attendre la fin des vacances. »

Magdalena chuchotait sur un registre de notes graves mais justes qu'elle seule était capable d'émettre, et Mallarino la désira de nouveau ; sans détour, il osa poser les yeux sur ses seins, dont l'image lui revint brièvement en mémoire, et il s'efforça de laisser transparaître ce souvenir dans son regard ; Magdalena fit semblant de ne pas avoir remarqué son trouble, même si ce genre de détail n'échappe pas aux femmes. Elle ne croisa pas les bras et son visage ne trahit aucune expression de gêne. En prenant congé, elle eut un geste tendre et lui caressa le bras gauche avant de le laisser seul avec sa fille dans sa nouvelle maison. Il se sentit alors plongé dans une solitude inédite et fut fasciné par cette impression sans doute liée au désir animal d'être l'unique responsable de Beatriz et de son bien-être, ne serait-ce que pendant les prochaines quarante-huit heures (un chiffre vertigineux). L'émotion lui fit monter les larmes aux yeux ; il se trouva ridicule, se moqua de lui-même. Dans la brume de ces émois surprenants, il songea à Cuéllar et aux fils de Cuéllar, qu'il n'avait jamais vus, et dans sa tête se déroula, vive, agitée, colorée comme dans un film, une scène de bagarre à coups de poing dans une cour d'école ; il lui sembla pouvoir distinguer les vêtements déchirés sur les pavés, les bleus sur le visage, le sang noir et les pleurs, le bruit sourd des coups, les os se heurtant aux os. Mais l'image s'évanouit rapidement car Beatriz, un irrésistible sourire plein d'entrain aux lèvres, avait sorti de son petit sac à dos rose un vieux paquet de cartes aux coins cornés et demandait à son père de jouer au *manotón*, même s'il lui avait déjà expliqué un nombre incalculable de fois qu'à deux, ce jeu n'était pas drôle du tout.

Fin août, à la rentrée des classes, Beatriz annonça (plus que l'annoncer, elle lâcha l'information comme si de rien n'était, comme s'il s'agissait d'un commentaire sans importance) que Samanta Leal n'était plus là. Elle ne reparla jamais de son ancienne camarade, de sorte qu'avec une facilité insultante la fillette fut gommée de sa mémoire et sans doute de celle de l'école tout entière. Mallarino pensa que, dans sa situation, il aurait agi de même : créer un vide silencieux autour de l'enfant, un oubli muselé et hermétique où le passé commun, ayant cessé d'exister dans le souvenir de ceux qui ont partagé ses jeux, s'efface également de son propre souvenir. Changer d'école, changer de quartier, changer de ville, mais changer, changer à tout prix, toujours changer, changer pour laisser les choses derrière soi, changer pour les effacer : c'était là un véritable *pentimento*, la correction d'un tableau après avoir changé d'idée, une image dessinée par-dessus une autre image, un trait de peinture à l'huile sur d'autres traits de peinture à l'huile. C'était probablement ce qui était arrivé à Samanta Leal, car la peinture à l'huile ne s'efface pas, elle se corrige ; on ne l'élimine pas mais on l'enfouit sous de nouvelles couches. Corriger la vie d'un enfant est facile : il suffit de prendre une ou deux décisions radicales et de se résoudre, de s'engager fermement à faire des corrections, voilà tout. Les parents de Samanta Leal avaient pris cette décision et c'était respectable ; Mallarino en parla avec Magdalena, qui partageait son opinion. Au fil des semaines et des mois, Samanta Leal disparut de leur mémoire et, plus étrange – mais ils ne s'en étonnèrent pas –, ils ne l'évoquaient même plus quand ils commentaient les déboires d'Adolfo Cuéllar.

Il y eut d'abord des rumeurs. « Qu'en-dira-t-on », la rubrique des ragots et des cancans d'un hebdomadaire, révéla que Cuéllar et sa femme avaient déclenché un petit scandale dans la file d'attente d'un cinéma de la rue 63. Peu après, *El Tiempo* publia dans sa rubrique « Féminine » – l'adjectif titrait la page, écrit en lettres creuses aux contours à peine visibles – une longue interview dans laquelle la femme du député discourait sans tarir d'œuvres de bienfaisance, de campagnes d'alphabétisation, de dons de nourriture et de sang. Mallarino était persuadé de n'être pas le seul à s'étonner qu'elle ne mentionne à aucun moment Adolfo Cuéllar, dont l'influence, directe ou non, avait rendu ces dons, ces campagnes et ces bonnes œuvres possibles. « La sympathique Mme Cuéllar, lisait-on, a préféré rester discrète et ne pas citer le nom de son époux. “On lave son linge sale en famille”, nous a-t-elle déclaré. »

Un matin de novembre, Mallarino fut réveillé par la sonnerie du téléphone :

« On lui a demandé de démissionner, déclara Rodrigo Valencia. Personne ne parle de sanction parce qu'il n'y a rien à sanctionner, mais d'après mes informateurs, c'est clair comme de l'eau de roche. Il n'y a pas besoin d'être une lumière pour s'en rendre compte. »

Il était encore très tôt : Mallarino avait calé le combiné entre le menton et l'épaule, tandis que ses mains encore engourdies cherchaient ses cigarettes et son briquet dans le méticuleux bric-à-brac de sa table de chevet.

« Se rendre compte de quoi ? lui demanda Mallarino.

– Enfin, Javier, vous savez bien. Ce n'est même pas la peine d'en parler. Regardez les informations, ce soir, je suis sûr qu'il y aura quelque chose. »

Valencia disait vrai : dans la soirée, Mallarino alluma son poste de télévision peu avant dix-neuf heures et écouta d'une oreille distraite le show de Mary Tyler Moore tout en archivant les coupures de presse qu'il n'avait pas utilisées dans la semaine. Il eut le temps de descendre au rez-de-chaussée, d'aller chercher les gamelles en plastique des chiens, d'y verser plusieurs doses de croquettes et de remonter se laver les mains avant le début du journal télévisé. La première page de publicité lui apprit qu'il pouvait devenir banquier pour un salaire de quinze mille pesos, puis on lui conseilla une boisson aromatisée au raisin (servie par une jeune femme en patins à roulettes) et on lui enjoignit d'acheter de toute urgence *Le Défi mondial*, après quoi un présentateur aux moustaches brunes et remuantes annonça la nouvelle.

Les images avaient apparemment été tournées dans la matinée. Cuéllar se tenait sur les marches du Capitole, la tête émergeant d'une couche de micros, semblable à celle de saint Jean-Baptiste sur le plateau de Salomé, et déclarait qu'il abandonnait provisoirement ses fonctions de député.

« Non, monsieur, il ne s'agit pas d'*étouffer* quoi que ce soit », disait-il.

Le reportage débutait sur cette réponse à une question que les auditeurs n'entendaient pas, et sa voix agacée mettait l'accent sur le verbe à l'infinitif.

« Absolument pas. Ma décision tient à des raisons personnelles. J'ai l'intention de prendre un peu de repos parce que ce travail est usant, vous comprenez ? Ma famille a besoin de moi, or la famille, c'est primordial, n'est-ce pas ? En tout cas, c'est ce que j'ai toujours dit. »

Assis sur le cadre du lit, Mallarino regardait ces images en essayant de capturer deux ou trois détails qu'il croquait dans son carnet noir : le nez grossi par les caméras, l'éclat des flashes sur les cheveux gominés, le col haut de la chemise à carreaux qui formait un pli et dessinait une ombre sur son double menton. Puis quelque chose – un mouvement, une tête qu'il connaissait ? – attira son attention. Il se pencha en avant et vit une femme qui gardait un silence réservé derrière la horde des journalistes ; même si l'arrière-plan d'un écran de télévision est moins net qu'une photo sur une page de journal, il reconnut la femme de Cuéllar, ses cheveux noirs sculptés en petites vagues savamment étudiées, ses paupières fardées de bleu ciel, un foulard dans les tons sépia protégeant son long cou du froid. Ne sachant que penser de cette présence ou de cette compagnie, car le visage de la femme était à demi caché et son expression, impénétrable, Mallarino se concentra de nouveau sur Cuéllar. Certes, il semblait fatigué ; au moins, il ne faisait pas semblant, c'était décelable dans ses yeux, songea Mallarino, des yeux visiblement irrités par les spots ; cela s'entendait aussi dans sa voix qui n'était plus celle, imprudente et répugnante, qu'il avait entendue lorsqu'elle avait imploré sa clémence et son pardon. Elle présentait pourtant quelques similitudes. Lesquelles ? L'image de Cuéllar – l'indifférence et la désinvolture qu'il affichait sur les marches en pierre du Capitole – ne resta que quelques secondes à l'écran, quelques petites secondes à peine, et disparut après qu'il eut formulé la dernière de ses réponses indifférentes et désinvoltes, à l'instant où les journalistes se précipitaient sur lui pour lui poser une série de questions inaudibles. Le présentateur annonça ensuite le démantèlement d'un groupe qui fomentait un coup d'État en Espagne, mais Mallarino continua de penser à la tête émergeant des micros, la compara à celle qui s'était adressée à lui, humble et basse, le jour de sa réception, et se surprit à songer également à la tête de la femme en arrière-plan, observant toute la scène, puis il mit de nouveau en parallèle l'homme de la fête et l'homme sur l'écran. Alors il comprit : tous deux étaient des êtres humiliés. Il est vrai qu'à la télévision l'humiliation était plus évidente, plus criante, mais elle ne constituait que la version exacerbée ou extrême de l'humiliation précédente, à moins que cette dernière n'ait été qu'un germe, et celle à laquelle Mallarino venait d'assister, diffusée à la télévision nationale à une heure de grande audience, sa pleine efflorescence. Il observa encore une fois la femme : quelle qu'elle soit, l'humiliation a besoin d'un témoin. Elle n'existe pas sans lui, personne ne s'humilie seul : l'humiliation en solitaire n'est pas une humiliation. Qui était le témoin de cet instant ? La femme ? Les journalistes ? Connaissaient-ils les véritables raisons pour lesquelles Cuéllar avait renoncé à ses fonctions ? Se souvenaient-ils du dessin de Mallarino ? Et Adolfo Cuéllar, l'avait-il à l'esprit ? Ce qui dérangeait le plus les victimes de ses caricatures, Mallarino l'avait constaté avec le temps, n'était pas de voir leurs défauts étalés, mais que les autres les découvrent : comme un secret qui sort au grand jour, comme si leurs os étaient un secret bien gardé brusquement révélé par Mallarino. Adolfo Cuéllar ressentait-il cela ? Sa femme le regardait, les journalistes le regardaient, Mallarino le regardait, des millions de gens dans tout le pays le regardaient... Il était devenu visible, trop visible ; Mallarino s'imagina sur les hauteurs, la ville s'étendant à ses pieds, et songea à la satisfaction que devaient ressentir les humbles, les hommes et les femmes trop petits, trop insignifiants pour être remarqués par lui et ses semblables. À cet instant, Cuéllar aurait sans doute préféré être un de ces hommes que nul ne remarque, une créature anonyme et cachée. Ou peut-être justement était-il en train de devenir l'une d'elles : en renonçant à sa position privilégiée, en s'enfonçant dans l'ombre pour se fondre dans la masse, il échappait aux humiliations futures. Dépossédé de ses privilèges, Adolfo Cuéllar serait à l'abri de ceux qui, comme Mallarino, voient le monde à travers l'humiliation des autres et traquent leurs faiblesses – dans leurs os, leurs cartilages – afin de mieux les détruire, pareils à des chiens flairant la peur d'autrui. Mallarino éteignit le téléviseur. En passant le dos de sa main sur l'écran, il sentit l'électricité statique chatouiller le duvet de ses doigts.

« Pauvre type, dit-il à l'écran noir, à la commode, à la persienne fermée. Il aurait mieux fait de rester chez lui. »

Le deuxième dimanche de décembre, peu avant le début des fêtes de fin d'année dans la ville chaude et agitée, Mallarino invita Magdalena à la première corrida de la saison. Un jeune torero colombien allait recevoir l'alternative ; ses parrains étaient deux Espagnols et l'un d'eux, Antoñete, avait toujours fait de belles *faenas* dans l'arène de Santamaría ; Mallarino avait pensé que c'était un bon prétexte pour passer une journée seul avec Magdalena et savoir si l'impression qu'il avait eue dernièrement était illusoire ou non. Depuis quelques jours, chaque fois qu'il la croisait pour déposer ou récupérer Beatriz comme une marchandise clandestine, il était pris d'une émotion indéfinissable, un soupir involontaire faisait frémir ses lèvres au moment de prendre congé, son corps se raidissait quand, une main sur la hanche, il lui cédait le passage pour franchir une porte. Un soir, après la fête d'anniversaire d'un ami commun à laquelle ils avaient dû assister tous les deux, il s'était surpris à la désirer comme un fou et ils décidèrent ensemble, tacitement, de fermer les yeux et de tout oublier, y compris ce qui était sur le point de survenir, comme on lance un pari en se disant que si on perd, on avisera demain. Sur un canapé qui marqua leur peau, ils se jetèrent l'un sur l'autre comme deux ivrognes maladroits se lançant des boutades et se cognant dans la pénombre. L'aventure resta sans suite et ils se gardèrent d'y faire allusion pour éviter de convenir que s'ils ne se surveillaient pas davantage, les choses allaient se compliquer dangereusement. À présent, debout aux premiers rangs du côté *sombra* de l'arène dont les gradins n'étaient encore qu'à demi occupés, Mallarino songea que peut-être, oui, ce n'était pas impossible : du temps avait passé, et aussi, avec le temps, beaucoup de choses. Le côté *sol* était comble : il vit des foulards de couleurs vives, des têtes chaussées de lunettes noires, les arbres derrière les drapeaux et, au-delà, les tours de brique. Magdalena était près de lui, Beatriz les attendait chez ses grands-parents. Il aimait, il avait toujours aimé l'imminence du danger dont on ne peut prédire l'issue, la menace qu'il sentait peser dès que les portes en bois libéraient un taureau et sa charge de quatre cent cinquante kilos, et il aimait être là, avec Magdalena, sachant qu'elle aussi appréciait la musique, le vacarme des paso-doble et l'acoustique imparfaite des arènes, la chaleur et la fraîcheur du début et de la fin d'après-midi. Tout allait bien, songea-t-il. Puis le torero colombien leur offrit un troisième acte riche en véroniques avant de donner l'estocade avec bien plus de maîtrise que n'en laissait présager son jeune âge. Mallarino regardait Magdalena et la façon dont le soleil, qui se reflétait de l'autre côté de l'arène, éclairait son visage, lorsqu'un banderillero fut victime d'un coup de corne sans conséquence. Tous les spectateurs hurlèrent et Magdalena porta les mains à sa bouche, posa ses longs doigts sur ses lèvres charnues et, en voyant l'éclat de ses yeux humides, il songea que peut-être, oui, ce n'était pas impossible, que du temps avait passé, et aussi, avec le temps, beaucoup de choses. Le torero colombien reçut l'épée et la *muleta* des mains d'Antoñete. Toute l'arène applaudit. Le Colombien fit un salut gracieux ; quand il joignit les pieds, il souleva un léger nuage de poussière. Vivre et mourir, c'est bien, pensa Mallarino. Il allait bien, Magdalena allait bien, tout allait bien.

Après que le cinquième taureau, sifflé pendant que le train de mules l'entraînait hors de la piste, eut laissé des traces de sang qui semblaient se coaguler dans le sable sous les yeux du public, Mallarino leva les yeux, croyant qu'on le saluait depuis un étage élevé d'un immeuble des Torres del Parque. Quelqu'un agitait en effet les bras, mais il était loin et son visage se réduisait à un ovale flou, et Mallarino en conclut que ses appels ne s'adressaient pas à lui. En baissant la tête, il vit cependant d'autres bras s'agiter comme des moulinets : c'était Rodrigo Valencia, qui croyait sans doute être plus explicite parce qu'il brandissait sa casquette dans une main. Mallarino comprit qu'ils se verraient plus tard.

« Oh, regarde ! s'écria Magdalena. C'est bizarre, qu'est-ce qu'il fait ici ? »

Elle n'ignorait pas que, chaque année, Valencia et sa famille s'abonnaient à la saison de corridas, mais le ton sarcastique qu'elle avait employé faisait visiblement allusion à autre chose. Quelles nouvelles notes vibraient donc dans sa voix ? Mallarino perçut une forme de ressentiment troublée, hésitante, sans conviction, les intonations d'une fillette capricieuse qui flottaient dans l'air, comme si, au lieu d'être dans un lieu public, ils s'étaient trouvés dans l'intimité d'une chambre.

« Qu'est-ce qu'il y a ? lui demanda-t-il. Tu n'as pas envie de voir Valencia ?

– Il va sûrement nous inviter quelque part et je n'ai pas envie de sortir, ce soir. J'ai plutôt envie... de ne rien faire du tout.

– Dans ce cas, je lui dirai qu'on ne peut pas. S'il me propose quelque chose, je refuserai, c'est aussi simple que ça. »

Elle haussa les épaules au moment où le sixième taureau entrait allègrement dans l'arène, soulevant le sable en martelant le sol de ses ongles. Le torero colombien maniait bien la capote, mais Magdalena s'était rembrunie. Elle ajusta la ceinture de son manteau et fit disparaître ses mains dans ses larges poches ; derrière eux leur parvint une odeur de tabac qui donna brusquement envie de fumer à Mallarino. À présent, le public sifflait les picadors et son voisin, un vieil homme, postillonnait sur les épaules du spectateur assis devant lui. Magdalena sifflait elle aussi ; une dame aux cheveux teints lui lança des regards réprobateurs. Ensuite, lorsque le torero colombien rata l'estocade et que la déconvenue frappa le public comme une malédiction, Magdalena sembla un instant revenir auprès de lui, regretta que le matador ait perdu les oreilles, lança des vivats patriotiques idiots pendant qu'un petit groupe d'admirateurs enthousiastes portait le jeune homme en triomphe.

« Il faut bien peu de choses, déclara-t-il plus tard, alors qu'ils avançaient par à-coups vers la sortie, leurs épaules et leurs bras serrés contre ceux des autres spectateurs, comme du bétail dans un enclos. Je veux dire qu'il faut bien peu de choses pour que les gens portent quelqu'un en triomphe. On a l'impression qu'ils font ça parce que ça leur plaît.

– Ça leur plaît peut-être, idiot », répondit Magdalena.

Ils avaient atteint la Carrera Séptima quand Mallarino entendit des pas précipités derrière lui, puis sentit des doigts légers lui tapoter l'épaule ou plutôt une des épaulettes de sa veste.

« Où est-ce que vous allez, tous les deux ? leur demanda Rodrigo Valencia. Réponse : nulle part. Vous venez avec moi. »

Le visage de Magdalena se renfrogna.

« Où ? voulut savoir Mallarino. Vous savez que je n'aime pas les réunions d'aficionados après une corrida.

– Ce n'est pas ce genre de soirée, Javier.

– Les gens racontent n'importe quoi. Beaucoup n'y vont d'ailleurs pas pour voir, mais pour se faire voir.

– Ce n'est pas ce genre de soirée, répéta Valencia, tout à coup très sérieux. J'ai quelque chose à vous raconter. »

C'est ainsi que Mallarino fut mis au courant : presque par hasard, à un moment presque intime, en compagnie de la femme qui était presque encore la sienne. Valencia les conduisit, lui et Magdalena, dans un restaurant au rez-de-chaussée de l'hôtel Tequendama, un endroit froid et sinistre à l'éclairage trop rouge d'où l'on pouvait voir, si on se plaçait près de la porte, l'accès en ciment gris de la rampe menant au parking (inexplicablement, Mallarino en ressentit une vive inquiétude). Autour d'une table sombre, près de la fenêtre où étincelait le nom du restaurant écrit en lettres de néon arrondies, un petit groupe les attendait : Mallarino reconnut deux chroniqueurs judiciaires et salua les autres de loin, sans enthousiasme, peut-être parce qu'il se doutait que l'enthousiasme n'était pas de mise dans cette réunion.

« Racontez donc à Mallarino ce qu'on m'a raconté », leur enjoignit Valencia en lançant ces mots sans les adresser à personne en particulier, ou alors pour que le plus motivé des journalistes s'en empare et exécute ses ordres.

La plus motivée se révéla être une jeune fille – avec un appareil dentaire bien qu'elle ait passé l'âge –, qui se mit à parler d'Adolfo Cuéllar comme s'il était un de ses vieux amis. Elle parla des problèmes conjugaux qu'il traversait depuis quelques mois, bien connus de tous, et d'une réalité dont seul un petit nombre de gens était informé, à savoir qu'il s'était séparé de sa femme, ou plutôt que celle-ci lui avait demandé de partir. Elle parla de l'état de santé peu satisfaisant de Cuéllar, du diabète qui l'obligeait à faire régulièrement des check-up depuis trois ans. Elle parla aussi du coup de téléphone que Cuéllar avait passé à son généraliste dans la matinée, exigeant un rendez-vous avec tant d'insistance que, même un jour férié, le médecin avait été forcé de le lui accorder. Elle parla de l'examen de routine qui eut lieu dans son cabinet – décrivit Cuéllar debout sur la balance, en chaussettes, puis couché sur la table d'auscultation, pieds nus pour que le praticien puisse prendre son pouls près du talon d'Achille et, enfin, débarrassé de sa chemise, respirant et toussant avec force. Elle leur parla de la conversation que Cuéllar eut ensuite avec le médecin, assis sur la table, sans chemise, sans chaussettes ni chaussures. Elle ajouta que, d'après les déclarations du docteur, Cuéllar lui avait raconté des anecdotes sur sa femme et ses fils et, surtout, qu'il s'était plaint à plusieurs reprises de la perte irrécupérable de sa réputation. Elle parla du moment où le médecin quitta la pièce dans laquelle il avait ausculté Cuéllar et s'installa à son bureau pour y prendre des tampons et des papiers filigranés et lui prescrire des antidépresseurs. Elle parla de ce que le médecin disait avoir alors entendu : le bruit impossible à confondre d'une fenêtre qu'on ouvrait et, peu après, des roues crissant à cause de brusques coups de frein, la réaction des passants, qui avaient dû crier, sans quoi rien ne serait parvenu aux oreilles du praticien à un étage aussi élevé d'un immeuble de la rue 13. À présent, après avoir fait ce récit, la fille à l'appareil dentaire regardait ses collègues et Mallarino comprit en un éclair que Valencia ne l'avait pas uniquement amené là pour qu'il écoute le récit du suicide d'Adolfo Cuéllar, mais avait organisé cette conférence de presse improvisée, voire presque clandestine, pour qu'il réponde aux questions des journalistes – ou plus exactement à une déclaration suivie d'une seule question. Ce fut de nouveau la jeune fille aux dents baguées qui se chargea de l'interroger.

« Monsieur Mallarino, commença-t-elle, et l'intéressé vit les carnets à spirale en alerte et les stylos dressés sur le papier comme des phallus. Nous sommes tous d'accord, de même que l'opinion publique, pour dire qu'Adolfo

Cuéllar est tombé en disgrâce quand votre caricature a été publiée. Ma question, notre question, est donc la suivante : vous sentez-vous en quelque sorte coupable de sa mort ? »

*L'opinion publique*, songea Mallarino. *Tomber en disgrâce*. D'où sortaient ces formules ? Qui les avait inventées ? Qui avait été le premier à les utiliser ?

« Bien sûr que non. Aucune caricature ne peut avoir des conséquences aussi lourdes. »

Pendant le trajet qui les ramenait chez les grands-parents, un silence épais, pâteux, concentré s'abattit dans la voiture. Le dimanche soir, Bogotá est une grande ville désolée ; à l'approche de Noël, ses rues aux lumières scintillantes lui confèrent l'aspect mélancolique d'une fête qui a mal tourné. C'est en tout cas l'impression qu'avait Mallarino, qui ignorait pourquoi il sentait le regard de Magdalena peser sur lui comme un jugement. Si, à un moment donné, il y avait de cela au moins mille ans, il avait envisagé que la journée puisse s'achever sur une sorte de réconciliation (c'était peut-être pour cette raison qu'ils avaient laissé Beatriz chez ses grands-parents : pour s'octroyer une ou deux heures de retard après avoir fait l'amour, comme cela semblait alors encore concevable), cette éventualité paraissait à présent s'éloigner, s'enliser plus profondément à mesure qu'ils passaient les feux verts et progressaient vers le nord par la Carrera Séptima. Il leur fallut attendre d'être arrivés devant la maison où Magdalena avait grandi, d'avoir éteint les phares et d'être plongés dans le noir, uniquement éclairés par les lampadaires de la rue, pour qu'elle lui dise combien ce qu'elle avait vu ce soir l'avait atterrée.

« Qu'est-ce que tu as vu ? lui demanda Mallarino. Je ne sais pas de quoi tu parles.

– Bien sûr que si, Javier, bien sûr que tu le sais, tu le sais parfaitement. Tu t'en es parfaitement rendu compte, peut-être même avant moi. Moi, pour tout t'avouer, ça m'a pris un peu de temps. Je ne m'en suis pas aperçue tout d'un coup, mais progressivement. Ce n'était pas facile, ça aussi, il faut le reconnaître, ce n'était pas facile à comprendre. Mais j'ai fini par me rendre compte, Javier, je me suis rendu compte que quelque chose clochait dans cette ambiance, dans cet horrible restaurant qui semblait plein de fumée alors que personne n'avait allumé de cigarette. Je me suis demandé ce que ça pouvait bien être. Et puis j'ai compris. C'était le regard des gens, le regard de ces journalistes et même le regard de Rodrigo Valencia : un regard admiratif. Ils te regardaient avec admiration. Cet homme s'est tué ce matin et ils t'interviewaient, ils devaient te poser cette question, mais ils l'ont fait avec admiration. Ou alors, c'était de l'étonnement, de l'ébahissement, choisis le mot que tu préfères, mais c'est ça qui planait dans ce restaurant, cette sorte de crainte que tu leur inspirais, oui, c'est bien ça, une crainte révérencielle. Le pire est venu après : quand je me suis aperçue que tu étais fier. Tu étais fier qu'ils te posent cette question, Javier, et, qui sait, tu avais peut-être aussi d'autres raisons de faire le paon. D'autres raisons, Javier. Et là, maintenant, pendant qu'on discute, pendant que notre fille dort à quelques pas d'ici, tu es toujours aussi fier. Tu es fier et je n'arrive pas à comprendre pourquoi. Tu es fier et je ne sais plus qui tu es. Je ne sais plus qui tu es, mais il y a une chose que je sais parfaitement, c'est que je ne veux pas être ici. Je ne veux pas être avec toi. Je ne veux pas que Beatriz soit avec toi. Je veux que tu restes loin d'elle et loin de moi. Je te veux loin, loin, loin. »

# III

Le vendredi matin, peu après onze heures, le 4 × 4 de Mallarino serpentait sur la route vitreuse en direction de la ville. La pluie fouettait la carrosserie : c'était à Bogotá une de ces averses typiques qui empêchent toute conversation posée, obligent les conducteurs à froncer les sourcils et à empoigner le volant à deux mains. À gauche s'élevait la montagne, toujours menaçante, donnant toujours l'impression qu'elle allait s'effondrer sur les gens et passer sous le ruban gris de la route avant de dégringoler à droite en pente rude, puis d'exploser au loin pour devenir miraculeusement la topographie étendue de la ville. À l'horizon, là où les collines de l'ouest perdaient leur côté verdoyant et se teintaient de bleu, le ciel couvert de nuages gorgés de pluie se parait de la lumière des avions comme une vieille putain essayant une paire de boucles d'oreilles.

Mallarino avait dormi peu et mal, sans oublier une seconde qu'à quelques pas de lui, dans la chambre qui avait autrefois été celle de Beatriz, se trouvait Samanta. Samanta Leal : la femme qui n'était plus une petite fille et était capable de mentir et de jouer la comédie pour s'introduire chez lui et se rappeler (ou lui demander de se rappeler, comme une mendiante de la mémoire) ce qui était survenu vingt-huit ans auparavant. Il avait dressé l'oreille quand elle s'était levée au milieu de la nuit pour aller aux toilettes, et avait inévitablement prêté attention à ses bruits liquides : le jet de son urine, la chasse d'eau peu discrète, l'eau claire sous laquelle elle s'était lavé les mains. Aux premières lueurs de l'aube, quand le léger gazouillis des colibris s'était élevé, Mallarino avait depuis longtemps les yeux ouverts : les yeux ouverts, il songeait à Samanta Leal et les yeux ouverts il éprouvait de la pitié, une véritable pitié pour cette fille et la nuit de détresse absolue qu'elle avait sans doute passée. Samanta Leal était seule, seule avec les souvenirs neufs dont elle venait d'hériter et qui modifiaient entièrement sa vie, tout ce qu'elle avait jusqu'alors cru savoir sur elle-même, ou qui l'avaient suffisamment altérée pour en changer la perspective. Sur un tableau d'Holbein figure une tête de mort qu'on ne distingue correctement que sous un angle et non de face : allait-il se passer quelque chose de similaire avec Samanta Leal ? À son réveil, elle serait différente ; en ce moment même, elle devait sonder ses souvenirs les plus chers et les reconsidérer non pas avec tendresse, mais avec suspicion. La pauvre. Mallarino lui avait donné une serviette-éponge et une couverture supplémentaire, au cas où elle aurait froid. Avant d'aller s'enfermer dans la chambre de Beatriz comme on se cache dans une grotte, Samanta avait évoqué la cérémonie et ce que cette soirée avait remué en elle, et Mallarino n'avait pu s'empêcher de penser qu'elle parlait d'elle en ayant l'air de se référer à quelqu'un d'autre. Ce qui dans plus d'un sens était peut-être vrai : Samanta était devenue une autre. Elle parlait de la femme qu'elle était encore il y avait quelques heures à peine.

Elle mentionna ses collègues de travail de la Mission Gaia (une fondation pour la protection de l'environnement où elle travaillait depuis deux ans) et l'admiration de l'un d'eux pour l'œuvre et la personne de Javier Mallarino. Elle ne se rappelait plus qui avait proposé qu'ils se rendent ensemble au théâtre Colón afin d'assister à la cérémonie, où la réputation du caricaturiste serait immortalisée, mais tout le monde avait été séduit par cette idée. Être témoins de cet instant, n'était-ce pas une merveilleuse occasion ? Elle accepta l'invitation – plus par curiosité que pour autre chose – et, quelques heures plus tard, assise dans une loge sans lumière, elle assistait au début d'une cérémonie qui promettait d'être des plus assommantes, se demandant ce qu'elle faisait là et se jurant de quitter cet endroit dès que possible. La projection avait alors commencé : une, deux, puis trois images envahirent l'écran, que Samanta regardait distraitement comme on regarde un feu de cheminée, mais au bout d'un instant, elle s'aperçut qu'elle ne les considérait plus du tout du même œil : elle reconnaissait certains clichés, elle reconnaissait l'endroit.

« J'ai déjà été dans cette maison », dit-elle à un de ses collègues en se retournant.

Sous l'effet de la surprise, elle partit d'un rire idiot. La situation avait quelque chose d'absurde, comme l'était l'expression goguenarde qu'elle surprit sur le visage de son collègue.

« Chez Javier Mallarino ? » demanda-t-il.

Quand elle l'assura qu'en effet, elle connaissait cette maison, il se moqua d'elle et tous deux s'esclaffèrent de nouveau. Mais un peu plus tard, elle reconnut certains objets : un ou deux cadres, par exemple. Celui des trois visages, pour n'en citer qu'un, et elle ne trouvait plus du tout ça drôle.

« J'ai déjà vu ce tableau », dit-elle à son collègue tandis que leurs voisins de siège leur intimaient le silence avec un claquement de langue. « Je suis déjà allée dans cette maison », s'obstina-t-elle.

Elle ne riait plus, ne s'amusait plus de cette situation incongrue. Les autres spectateurs essayaient toujours de la faire taire, alors elle n'insista pas et se garda de répéter qu'elle avait déjà été là ou avait vu tel ou tel tableau. Elle se tut, lutta tant bien que mal contre les questions confuses qui l'assaillaient, commença à envisager des scénarios possibles. Le lendemain, elle frappait à la porte de la maison dans la montagne, mentait, jouait la comédie en tâchant sans relâche de se rappeler, priant Mallarino de sonder lui aussi sa mémoire ; oui, elle voulait qu'il se rappelle. Et tout cela pour rien.

« J'ignore si c'est important ou non, dit-elle. Je suis là, monsieur Mallarino : telle que je suis, ça ne changera rien. Vingt-huit ans, c'est toute une vie. Qui s'en soucie ? Il vaut peut-être mieux laisser les choses là où elles sont, vous ne pensez pas ? Qu'est-ce qui me pousse à fouiller le passé au lieu de ne pas le remuer ? N'était-il pas préférable de ne pas y toucher ? N'étais-je pas mieux avant, quand j'ignorais ce que je sais maintenant ? Ça relève d'une autre vie, d'une vie qui n'a jamais été la mienne.

On me l'a enlevée. On me l'a changée. Mes parents ont changé ma vie pour m'en donner une autre : une vie où rien de tout ça n'est arrivé. Le passé d'un enfant, c'est de la pâte à modeler, monsieur Mallarino, les adultes peuvent lui donner la forme qu'ils veulent, enfin, quand je dis "ils peuvent", je veux dire "nous pouvons" lui donner la forme que nous voulons. Ça a été mon cas. Une première année s'est écoulée, puis une deuxième et ma vie d'avant est restée en arrière jusqu'à ce qu'elle cesse d'exister. La petite fille d'autrefois, cette petite fille à laquelle il est arrivé certaines choses, s'est endormie pour ne jamais se réveiller, monsieur Mallarino. Elle a cessé d'exister comme un chiot maladif. Et un jour, cette petite fille a trente-cinq ans, elle voit des images projetées dans un théâtre et éprouve une sensation bizarre qu'elle n'a jamais éprouvée auparavant. J'ignorais que c'était possible, qu'on pouvait être assis dans ce genre d'endroit et avoir des impressions aussi étranges, qui deviennent de plus en plus étranges à chaque minute qui passe. Quelqu'un parle sur scène, quelqu'un fait un discours mais on ne l'entend pas. Notre attention est ailleurs. On se rappelle des choses. On a des intuitions, des intuitions comme qui dirait dérangeantes. Des souvenirs estompés nous apparaissent comme des fantômes. Qu'est-ce qu'on fait dans ces cas-là ? Qu'est-ce qu'on fait des fantômes ? C'est la question que je me suis posée hier soir. J'ai passé la moitié de la nuit à me poser des questions et l'autre moitié à me demander quels étaient mes vrais souvenirs et quels étaient les faux. J'ai commencé à me rappeler des choses, mais je ne sais pas si je me souviens vraiment, monsieur Mallarino, ou si c'est à cause de ce que vous m'avez raconté. Est-ce que j'ai des images dans ma tête parce que vous y avez introduit des souvenirs ? J'y ai pensé toute la nuit. Ce n'est pas facile, ce n'est pas facile de le savoir. Le problème, c'est qu'entre-temps une vie s'est écoulée, monsieur Mallarino, c'est pour ça que je vous demande : qui s'en soucie ? Qui se soucie de ce qui s'est passé ou pas ? »

*Qui s'en soucie ?* songeait Mallarino ce matin-là. Il attendit que la cafetière ait cessé de gargouiller pour retirer le pot en verre ; une goutte tomba sur la plaque chaude qui émit un sifflement agressif. Sa tasse de café fumant à la main, Mallarino prit le journal qu'il lut debout devant le plan de travail de la cuisine, dos à la fenêtre couverte de givre, mort de froid, son fusain à la main, jusqu'à ce qu'il se rende compte qu'il ne comprenait rien car son esprit était ailleurs. Ailleurs ou transporté dans une autre époque, en tout cas loin du journal – cet adulateur grossier du présent –, de ses annonces de fêtes, d'événements, de discours suivis d'autres discours, de cieux encombrés de grands ballons multicolores, toutes ces choses organisées pour célébrer le bicentenaire de l'Indépendance colombienne. *Qui s'en soucie ?* songea Mallarino pour se répondre aussitôt : *Moi, je m'en soucie.* Il se resservit du café, monta dans son bureau, se concentra sur la caricature de Daumier où la tête grassouillette de Louis-Philippe (son visage en forme de poire, ainsi que le voyaient les Français de son époque : un roi à la tête en forme de poire) regardait le passé, le présent et l'avenir. Mallarino songea qu'à cet instant, sa situation n'était peut-être guère différente. Cette tête était peut-être semblable à la sienne. Mais elle lui disait : tout est présent. Ce dont je me souviens est en train de se passer maintenant. Il était encore trop tôt pour appeler Rodrigo Valencia, si bien que Mallarino sortit une feuille du fax – une de ces feuilles trop blanches et trop épaisses dont le bord coupait douloureusement les doigts de ceux qui n'y prenaient pas garde – et écrivit un mot à la main, de son écriture soignée, qu'il data dans un coin et signa selon son habitude comme s'il s'agissait d'une lettre. Il pensa que Valencia découvrirait son message en arrivant à la rédaction :

*Rodrigo,*
*J'ai un service urgent à vous demander. Vous vous souvenez d'Adolfo Cuéllar, le député ? Eh bien, j'ai besoin des coordonnées de sa veuve. Adresse, téléphone, tout ce que vous pourrez me procurer. Je me répète peut-être, mais c'est urgent.*

*Bien à vous,*
*Javier*

La sonnerie du téléphone retentit plus tôt que prévu.

« Mais je parle à l'étoile la plus brillante du ciel colombien, mon correspondant de fax n° 1 ! s'exclama Valencia. Allez, allez, expliquez-moi vite cette chose bizarre, dites-moi ce que vous mijotez. »

Mallarino trouva que Valencia criait trop fort ; il fut un instant tenté de le prier de baisser d'un ton, mais se ravisa. Il lui demanda de se rappeler le jour de la fête qu'il avait organisée vingt-huit ans plus tôt, de se rappeler la fillette, la petite camarade de Beatriz.

« Elle a besoin de parler avec la femme de Cuéllar, de lui poser quelques questions, précisa Mallarino. Vous pourriez me fournir ses coordonnées ? Demandez à quelqu'un du journal, à votre secrétaire ou à un de vos chroniqueurs. Ils en auront pour cinq minutes : je suis sûr que ça ne leur prendra pas plus de temps. »

Il y eut un silence au bout du fil. Mallarino imagina le regard perdu de Valencia se poser quelque part : sur le pot à crayons, les touches de l'ordinateur, les murs où étaient accrochées les caricatures de lui et de sa femme que Mallarino leur avait offertes quelques années auparavant.

« Cette petite fille-là ? Vous la connaissez ? finit par lâcher Valencia.

– Écoutez, c'est trop long à expliquer. Elle est ici, avec moi, et elle a besoin de ces renseignements.

– Attendez, attendez. Elle est avec vous ?

– Vous allez me les donner, oui ou non ?

– Attendez, Javier. Vous les donner à vous ou à la petite ? Qui n'est sûrement plus si petite, enfin, bon. Comment ça, elle est avec vous ? Quel est son nom ?

– Vous allez me donner ces renseignements ?

– Quel est son nom ?

– Samanta Leal. Je ne vois pas en quoi ça peut vous intéresser. Vous me les donnez, ces renseignements ?

– Mais je ne comprends pas. J'ai besoin d'en savoir plus, il me manque quelque chose. En fait, je sais ce qui me dérange : j'ai besoin de comprendre. Je ne comprends pas, voilà mon problème.

– Vous n'avez pas à comprendre, Rodrigo : vous devez me rendre un service. Rendre un service, c'est plus facile que comprendre. Écoutez, c'est enfantin. Vous êtes dans votre bureau, n'est-ce pas ? Dans la vitrine qui vous sert de bureau, à la vue de tous. Alors il vous suffit de suivre mes instructions. Vous levez la main pour qu'on vous voie de l'extérieur et vous demandez au premier de vos esclaves qui poussera la porte de vous chercher ces coordonnées. Quand vous les aurez, vous m'enverrez un fax. C'est simple comme bonjour.

– Mais pourquoi ? protesta Valencia. Comment cette personne a-t-elle atterri chez vous ? Qu'attend-elle de vous ? Que se passe-t-il ? C'est ce que j'aimerais savoir.

– Il ne se passe rien du tout.

– Bien sûr que si. Javier : si vous ne me racontez pas tout, je ne vous aiderai pas.

– Eh bien, ne m'aidez pas. Et allez vous faire foutre.

– Vous savez, Javier, il faut me comprendre, moi aussi. Ce n'est pas normal. Vous trouvez ça normal, vous ? Vous trouvez normal que cette petite fille réapparaisse sans crier gare ?

– Ce n'est plus une petite fille.

– Qu'elle réapparaisse si longtemps après pour vous demander ça ?

– Elle ne m'a rien demandé, dit Mallarino. L'idée vient de moi.

– Comment ça ?

– C'est pour l'aider. Elle ne se souvient de rien. »

Mallarino resta avec pour toute compagnie celle du silence qui s'était installé au bout du fil, un silence aussi imparfait que l'obscurité dans laquelle sont plongés les aveugles. Valencia lui apparut comme une caricature du

XIXe siècle, un personnage couvert de points d'interrogation et exprimant un désarroi intense, puis il se représenta sa tête sous la forme d'un simple contour, une ligne noire contre laquelle venaient se heurter, comme des mouches paniquées emprisonnées sous une cloche de verre, les six mots : *Elle ne se souvient de rien.* Après de longues secondes, d'autant plus longues qu'au téléphone on ne peut mesurer le temps à l'aune des traits de son interlocuteur – on ne remarque pas leurs changements à peine perceptibles, leurs avertissements, les intentions qui s'y dessinent –, Valencia lâcha quelques grognements, une sorte de toussotement ou de rot contenu.

« Ah, souffla-t-il. Je comprends ce qui se passe. La petite fille ne sait rien.

– Ce n'est pas une petite fille, répéta Mallarino.

– Elle ne sait pas, voilà le problème. On ne lui a jamais rien dit.

– Elle ne se souvient plus.

– Et vous voulez l'aider.

– L'aider à se souvenir, oui.

– L'aider à savoir, fit Valencia comme s'il recrachait un bonbon coincé dans sa gorge. Parce que si elle ne sait pas, vous non plus. »

Mallarino éprouva une sensation s'apparentant à du soulagement. Sans doute parce que quelqu'un d'autre venait de dire ce qu'il n'osait pas formuler. *Parce que si elle ne sait pas, vous non plus.* N'était-ce pas incroyable, incroyable et fascinant qu'ils parlent ainsi du passé ? Ce qu'on ne savait pas à présent – maintenant que Valencia le mentionnait – avait été autrefois un fait connu dont on avait été sûr à un moment donné, si sûr que Mallarino avait dessiné une caricature à ce propos. Mis à part certains doutes ou incertitudes, ce qui était publié dans la presse n'était-il pas avéré ? Une page de journal n'était-elle pas la preuve suprême de la réalité d'un fait ? Mallarino s'imagina le passé comme une créature aqueuse aux contours imprécis, une sorte d'amibe fourbe et malhonnête qu'on ne peut étudier, pas même au microscope, car il suffit de lever les yeux quelques secondes pour découvrir en regardant de nouveau qu'elle a disparu. On la croit partie, puis on comprend vite qu'elle a changé de forme et qu'il est impossible de la reconnaître. *Parce que si elle ne sait pas, vous non plus*. Par conséquent, les certitudes acquises à un moment donné du passé pouvaient avec le temps cesser d'être des certitudes : un événement survenait, un fait fortuit ou volontaire, et, brusquement, son évidence était invalidée, les choses avérées cessaient d'être vraies, les choses vues n'avaient jamais été vues et celles qui étaient survenues n'avaient jamais eu lieu : toutes ces réalités perdaient leur place dans le temps et l'espace pour être englouties, pénétrer dans un autre monde ou une dimension différente et inconnue. Mais où étaient-elles ? Où allait le passé quand il se modifiait ? Dans quels replis de notre univers se cachaient, lâches et honteux, les faits qui n'avaient pas su perdurer, rester réels en dépit de l'usure infligée par le temps ou occuper une place dans l'histoire des hommes ? *Parce que si elle ne sait pas, vous non plus*. Le problème de Samanta Leal n'était pas de ne pas savoir, mais d'être incapable de se souvenir : la mémoire, sa mémoire d'enfant avait été gênée par certaines distorsions, par certaines – comment dire ? – *interférences*. Il fallait restaurer sa mémoire : c'était pour cela et pour nulle autre raison qu'ils devaient parler à la veuve de Cuéllar, lui poser quelques questions simples et obtenir en retour quelques réponses tout aussi simples.

« Je ne le fais pas pour moi, mais pour elle, expliqua Mallarino. Pour l'aider.

– Vous avez bien réfléchi, Javier ? lui demanda Valencia.

– Il n'y a guère matière à réfléchir.

– Vous avez réfléchi aux conséquences ? Ne me dites pas qu'il n'y en aura pas. Ne me dites pas que vous ne les avez pas imaginées. Alors, voyons un peu : la petite fille ne se souvient de rien ?

– Ce n'est plus une petite fille. Et non, elle ne se souvient de rien.

– Je vois. Pour elle, c'est donc comme s'il ne s'était rien passé du tout.

– Exactement.

– Sauf que si, il s'est passé quelque chose, Javier. »

Mallarino ne répondit pas.

« Il s'est passé quelque chose et nous l'avons tous vu », reprit Valencia.

Quelle étrange arrogance s'agitait, comme le ressac près du rivage, sous des mots en apparence si simples, si flous, si usités ? L'arrogance consistait à feindre ou même à convoiter ces certitudes, comme si Valencia pouvait être sûr non seulement de ce qu'il avait vu de ses propres yeux, mais de ce qu'avaient vu les autres, ceux qui, à présent, vingt-huit ans plus tard, s'étaient absentés, volatilisés ou avaient en tout cas été frappés de mutisme. La mémoire des autres : il aurait donné cher pour avoir un billet lui permettant d'assister à ce spectacle ! Notre insatisfaction et nos tristesses viennent de là, de l'impossibilité de partager la mémoire d'autrui, songea Mallarino.

« Peu importe, dit-il. En tout cas, peu m'importe à moi. C'est à elle que je pense. La pauvre a le droit de savoir.

– Ah, c'est uniquement pour elle.

– C'est ce que je suis en train de vous dire.

– Uniquement pour elle, c'est ça. Javier, est-ce que vous me prenez pour un con ? »

Mallarino garda le silence.

« Vous croyez que je ne me rends compte de rien ? Eh bien si, justement, je me rends parfaitement compte de ce qui pourrait arriver aujourd'hui si, cette fameuse nuit, il ne s'était rien passé du tout. De ce que ça pourrait changer pour vous. Et je comprends, croyez-moi, je comprends votre inquiétude, du moins en théorie.

– Je ne suis pas inquiet.

– Moi, je crois que si. Parce que s'il ne s'est rien passé et que vous avez fait cette caricature… Évidemment, évidemment que je comprends. Mais vous voulez que je vous dise quelque chose ? On était tous là. Et vous voulez que je vous dise autre chose ? Vous n'avez pas du tout envie de poser des questions. Absolument pas. Vous n'êtes coupable de rien, Javier…

– Qui parle de culpabilité ? le coupa Mallarino. Pas moi. Personne ne parle de culpabilité. Je vous le répète encore une fois, Rodrigo : je ne fais pas ça pour moi, mais pour elle. »

Valencia se tut et, lorsqu'il reprit la parole, Mallarino

eut l'impression que le combiné était tombé par terre : sa voix semblait avoir été piétinée, salie, éraillée par l'effort.

« Je vois, souffla-t-il. Et vous avez eu l'idée d'aller trouver la veuve de Cuéllar.

– Oui.

– Pour lui parler, je suppose.

– Tout à fait.

– Quelle idiotie, murmura Valencia d'un ton las. C'est la chose la plus stupide que j'aie jamais entendue.

– Je ne vois pas pourquoi. Nous voulons seulement...

– Vous êtes des imbéciles, l'interrompit Valencia.

– Non mais...

– En fait, c'est vous l'imbécile. Je ne me permettrais pas d'insulter cette fille, je ne sais pas ce qu'elle a en tête. Mais vous, vous en êtes un. Et je peux vous demander ce que vous avez l'intention de faire ?

– Je n'en sais rien, mais cela ne vous...

– Vous frapperez à sa porte, elle vous fera entrer et vous dira : bonjour, comment ça va, je vous sers un café ? À moins que la petite fille ne se présente d'elle-même : enchantée, chère madame, j'aimerais savoir ce que m'a fait votre mari, au juste. C'est ça que vous comptez faire ?

– Allez vous faire foutre, Valencia.

– Non, ce n'est pas ça du tout, n'est-ce pas ? Pas du tout. Elle n'a aucune importance à vos yeux, Javier, elle est la dernière roue du carrosse. Vous voulez simplement être tranquille. Vous voulez être sûr de ne pas vous être trompé, pas vrai ? Vous voulez en être sûr et certain. C'est idiot, Javier, pensez-y, rendez-vous à l'évidence. On était tous là. Tous, tous réunis, et vous, vous doutez de ce qui s'est passé en sachant qu'on était tous là ? Mais supposons que non, qu'il ne se soit rien passé... dites-moi : que voulez-vous changer à ça ? Vous ne pouvez rien y changer, c'est fait, révolu. Cuéllar s'est jeté du cinquième étage, on peut difficilement faire plus irréversible. Et vous savez quoi ? Il ne manque à personne. Il ne nous a pas manqué pendant toutes ces années. On est mieux sans lui et j'irais même jusqu'à dire qu'on l'a tous oublié. On l'a oublié. Le pays et même son parti l'ont oublié. À l'époque, ils avaient déjà honte de lui, Javier, alors vous pensez vraiment que ça intéresse quelqu'un de voir réapparaître son nom dans la presse ? Ce Cuéllar était un type méprisable. Vous, en revanche, vous êtes important : important pour le journal et important pour le pays. Ce pays est une jungle, Javier. Nous pouvons compter sur quelques personnes pour nous aider à passer sains et saufs de l'autre côté sans nous faire dévorer par les fauves. Les fauves sont partout. Levez la tête et vous verrez. Partout, Javier. Ils sont déguisés, tapis dans les endroits les plus insoupçonnés. Admettons que vous vous soyez trompé. Que nous nous soyons trompés. Quoi qu'il en soit, cet homme était un être méprisable. Il l'avait prouvé cent fois et, s'il avait vécu, il aurait eu cent autres occasions de nous le confirmer. Et vous voulez maintenant faire de lui un martyr, ne serait-ce qu'aux yeux de sa veuve ? Vous irez chez elle et lui avouerez que vous avez fait un dessin sans avoir vraiment vu, sans être vraiment sûr. Très bien. Et ensuite ? Vous imaginez comment les fauves vont se repaître de ça ? Vous imaginez ce qui se passera quand les fauves s'apercevront qu'ils peuvent vous décapiter ? Pour un fait survenu il y a des années, en plus de ça. Vous croyez qu'ils vous le pardonneront ? Certainement pas. Ils vous couperont la tête, les fauves de ce pays de fauves vous couperont la tête. Tous ceux qui vous détestent, qui nous détestent, tous les fanatiques se jetteront sur vous. Quand ils sauront que vous doutez, ils se jetteront sur vous. À notre époque, on ne peut pas se permettre de douter, Javier. Celui qui doute meurt. Il faut se montrer fort, sinon on vous tue. Vous voulez vous dresser devant eux, ôter votre gilet pare-balles et leur dire de tirer. Ils tireront, croyez-moi. Ils vont vous fusiller. À quoi bon, Javier ? Allons, expliquez-moi l'utilité de toute cette histoire ridicule, parce qu'elle m'échappe, je vous jure sur la tête de ma mère que je n'en vois aucune. Je ne sais pas à quoi sert tout cela, j'ai besoin que vous me le disiez. Clairement, sans métaphores idiotes ni rien de toutes ces conneries. Alors, dites-le-moi, dites-le-moi en deux mots : à quoi ça sert ?

– Pour vous, à rien, répondit Mallarino. Mais ça lui sera utile à elle. »

Un nouveau silence s'installa entre eux.

« Bien, allez vous faire voir, Javier. Allez tous les deux vous faire voir. »

Sur ce, Valencia raccrocha.

De sorte que ce qui aurait pu lui être communiqué en vingt minutes lui prit deux heures. Mallarino sortit son répertoire téléphonique jauni à la reliure abîmée, dont les feuilles se détachaient irrémédiablement, pauvre carnet frappé d'alopécie, et appela un chroniqueur judiciaire, des journalistes de la concurrence – des rubriques « Colombie », « Actualités » et « Politique » – et même un membre de la Chambre des représentants qui lui devait plusieurs retours d'ascenseur. Ils le rappelèrent tous au bout de quelques minutes, prêts à satisfaire les besoins immédiats de Javier Mallarino. Force était de reconnaître que son nom y était pour quelque chose, mais il n'eut pas de scrupules à se servir de sa célébrité pour parvenir à ses modestes fins, car, après tout, ne devait-il pas sa réputation et le pouvoir qui en découlait aux journalistes et aux politiciens ? Cela dit, Mallarino aurait obtenu beaucoup plus vite les renseignements qu'il convoitait si ceux-ci avaient été connus des personnes interrogées. Ce n'était pas le cas : certains durent sonder leur mémoire pour se rappeler Cuéllar ; d'autres ignoraient jusqu'à son existence. Valencia avait raison : l'homme avait sombré dans l'oubli, ce qui n'avait du reste rien d'étonnant dans un pays amnésique obsédé par le présent, un pays narcissique où même les morts sont incapables d'enterrer leurs morts. L'oubli était la seule réalité démocratique en Colombie : il englobait tout le monde, bons et méchants, assassins et héros, comme la neige dans la nouvelle de Joyce, qui tombe sur tous de manière égale. À présent, sur la totalité du territoire colombien, d'aucuns s'acharnaient à faire oublier certains faits – petits ou grands crimes, détournements de fonds, mensonges tortueux – et Mallarino était prêt à parier que tous, sans exception, verraient leur entreprise couronnée de succès. On ne se souvenait plus non plus de Ricardo Rendón. Même lui n'avait pu échapper à l'oubli. Rodrigo Valencia avait peut-être raison : cela ne servait à rien.

À quoi bon ? lui avait-il demandé en parlant évidemment d'autre chose, mais en parvenant à ce que Mallarino retienne la question et se la pose ensuite avec une légère mélancolie : à quoi bon ?

Le 4 × 4 venait d'entrer dans Bogotá et la route de montagne était devenue une artère de banlieue, puis une avenue ; les nuages chargés de pluie semblaient les croiser, avancer en sens inverse, se diriger obstinément vers l'endroit d'où venaient Mallarino et Samanta : la maison dans la montagne. Il détestait cette partie du trajet : il se retrouvait tout à coup entouré d'épouvantables immeubles de brique, la température montait de deux ou trois degrés et, sans cesser de rouler, les conducteurs qui ne s'étaient rendu compte de rien se livraient à des manœuvres périlleuses pour retirer leur veste. Mallarino n'y avait jamais été obligé : contrairement aux autres habitants des montagnes, qui sortaient de chez eux en pardessus, une écharpe autour du cou (il n'était pas rare d'en voir certains serrer des mains gantées de cuir sur le volant), il portait des vêtements légers, une simple chemise et un blazer en velours côtelé dont le tissu changeait de couleur au toucher, et préférait laisser son imperméable sur la banquette arrière en cas de besoin. Assise sur le siège passager, Samanta Leal s'était plainte du froid et avait enfoncé sa tête dans ses épaules comme un petit poulet. Elle commençait tout juste à se détendre. Les coordonnées de la veuve de Cuéllar figuraient sur un rouleau de papier, un tube que ses mains agrippaient comme si elle poussait une tondeuse à gazon. Mallarino la regarda en biais, regarda les jointures blanches de ses doigts et l'anneau délicat qui était son seul bijou, puis regarda son profil, l'angle marqué de sa mâchoire, son dos d'élève attentive calé sur le dossier, la ceinture de sécurité barrant sa poitrine à la manière d'un carcan de chasseresse. Sur le rouleau de papier étaient inscrits l'adresse et le numéro de téléphone de Carmenza de Torres, qui avait été autrefois la femme d'Adolfo Cuéllar et la mère de ses enfants avant de devenir sa veuve ; Carmenza de Torres, qui avait dû après la mort de son mari député poursuivre les études d'hôtellerie et de tourisme qu'elle avait interrompues à sa première grossesse, et qui avait trouvé un emploi dans une agence de voyages, s'y était distinguée en qualité de vendeuse, puis avait été l'assistante personnelle du patron, qu'elle avait fini par épouser, commençant une nouvelle vie sous un nouveau nom : un nom vierge, un nom sans mémoire. Mallarino avait glané toutes ces informations avec l'aide de ses admirateurs. Il avait également appris que l'agence s'appelait Voyages La Licorne ; le local se trouvait en face du Parc national et Carmenza s'y rendait tous les après-midi, de quatorze à seize heures, mais jamais le matin (« *Tous* les après-midi ? » s'était-il étonné. « Oui, *tous* les après-midi », lui avait-on confirmé). À présent, il roulait sur le périphérique à quarante kilomètres à l'heure et décrivait à Samanta le programme de la journée : il la déposerait chez elle pour qu'elle puisse se reposer un peu et se changer, puis il irait à un rendez-vous qu'il avait dans le centre et ils se retrouveraient à quinze heures précises devant l'agence de voyages. Ça lui semblait bien ? Regardant fixement devant elle, elle acquiesça à la manière d'un condamné.

*Un rendez-vous dans le centre*. Que faisait Magdalena

en ce moment ? Il eut brusquement envie de la voir, d'être avec elle et d'entendre sa voix, comme si, de cette façon, il pouvait par des voies tortueuses s'assurer que tout dans le passé n'était pas mouvant et instable. Magdalena constituait elle aussi le passé. Mais elle était inébranlable. Par une sorte d'automatisme, il l'imagina devant un double micro, deux longs tubes argentés. Sur cette image, il y avait une table en bois couverte d'un tissu marron sur lequel était posé un chronomètre afin que Magdalena puisse évaluer le temps de ses monologues sans avoir à consulter l'horloge digitale vissée au mur. Mais ce n'étaient que des suppositions abstraites : il n'était même pas sûr qu'elle enregistre son émission le matin. Sur le périphérique, la circulation était lente, plus lente que la normale. Le 4 × 4 roulait entre des squelettes d'immeubles couleur rouille et les rangées d'arbres, de tristes arbres urbains aux feuilles asphyxiées sur les branches les plus basses et dont personne ne voyait jamais la cime. Samanta lui avait indiqué le chemin et proposé les meilleurs itinéraires, dessinant par la parole une carte que Mallarino puisse se représenter dans sa tête, puis elle s'était tue, essayant peut-être, à force de silence, de faire oublier sa présence à l'homme qui conduisait.

« Je prends quelle rue pour descendre ? » lui demanda-t-il.

Elle agita une main devant le pare-brise, l'ombre incomplète d'une petite colombe, mais aucun mot ne sortit de sa bouche ; quand il tourna la tête en restant concentré sur le périphérique, Mallarino s'aperçut qu'elle pleurait. C'étaient des pleurs las et discrets, ceux de quelqu'un qui a déjà versé beaucoup de larmes, des restes, des reliefs de sanglots.

« Ne pleurez pas, Samanta », lui dit-il en se sentant immédiatement, irrévocablement stupide.

Mais, dans les archives de son esprit, il ne trouva pas d'autres mots de consolation. Il n'en avait guère et ne les utilisait pas souvent, si bien qu'après les avoir prononcés il se sentit immédiatement, irrévocablement stupide.

« Pardon », murmura-t-elle.

Elle sourit, sécha ses yeux d'une seule main et sourit à nouveau :

« Vous savez, j'allais bien. Je n'avais pas besoin de ça.

– Je sais, dit Mallarino.

– Je peux vous poser une question ?

– Bien sûr.

– Qu'est-ce qui va se passer maintenant ?

– Que voulez-vous dire ?

– Eh bien, ça : qu'est-ce qui va se passer maintenant, ou plutôt cet après-midi, après trois heures ? Est-ce que je dois continuer comme avant ? J'ignore ce qu'on va me dire, mais faut-il que je continue comme avant ? Et qu'est-ce qui se passera si je décide que je ne veux plus, que je ne veux plus avoir affaire à tout ça ? Maintenant, dans cette voiture, avant d'arriver chez moi ? Qu'est-ce qui se passera si je préfère à nouveau tout oublier ? Si je préfère que les choses redeviennent comme elles étaient avant cette connerie de cérémonie ? Je n'ai pas le droit ?

– C'est ce que vous voulez, Samanta ?

– Oh, je ne sais pas. J'ai mal à la tête.

– On peut s'arrêter quelque part pour acheter de l'aspirine.

– Et je veux me changer. Je ne supporte pas de porter des vêtements sales.

– À mon avis, ces vêtements sales vous vont très bien. »

Il n'avait pas l'intention de lui faire un compliment facile, mais ses paroles produisirent cet effet. Elles ne manquaient pourtant pas de sincérité : le matin, quand il avait vu Samanta sortir de l'ancienne chambre de Beatriz, les cheveux mouillés après avoir pris sa douche, dans le chemisier et la jupe qu'elle portait déjà la veille, Mallarino avait trouvé la scène étrangement érotique. Il s'était bien gardé de le dire à Samanta : les femmes ne sont pas censées comprendre les impulsions idiotes des hommes, elles n'ont pas à supporter, à tolérer ou à subir les compliments qu'on leur fait, même lorsqu'ils sont formulés dans de bonnes intentions. Le sien était de cette nature, mais il crut remarquer une brusque tension chez Samanta, qui enfonça davantage les épaules dans le dossier et contracta les jambes. Était-elle froissée ?

« J'ai mal à la tête », répéta-t-elle, cette fois pour elle-même.

Une moto aux phares allumés déboula violemment de son côté pour les dépasser ; derrière eux roulait une camionnette aux vitres teintées, suivie d'un fourgon militaire d'où pointaient les canons opaques de fusils : le président, un ministre ? Samanta passait de nouveau une main sur ses yeux qu'elle frottait négligemment, imprimant sur sa cornée une pression en général déconseillée (car on court ainsi le risque de la déchirer). Mallarino remarqua sur son index une traînée humide, comme celle d'un escargot.

« Je prends quelle rue pour descendre ? répéta-t-il.

– On y est presque, je vous dirai », fit Samanta qui, après un silence, ajouta : « C'est ça qui m'embête. Pas d'être dans l'ignorance, non. Ce qui m'embête, c'est de ne pas savoir si j'ai envie de savoir ou si j'étais mieux avant. »

Mallarino lui dit qu'en effet, lui aussi avait cette incertitude, lui aussi...

« Non, vous, vous ne savez rien, le coupa Samanta, et il perçut de l'hostilité dans sa voix. Vous croyez savoir, vous vous imaginez être au courant de tout et ce n'est pas vrai. Si vous saviez à quel point c'est insultant. Ceux qui croient savoir. Qui croient pouvoir s'imaginer. Mais ce n'est pas du tout ça.

– Vous ne m'avez pas compris, Samanta.

– C'est insultant. Ceux qui croient savoir. Qui s'imaginent.

– Ce n'est pas ce que j'ai voulu dire. S'il vous plaît, ne réagissez pas comme ça. »

D'un geste que Mallarino trouva à la fois faible et autoritaire, Samanta lui indiqua une rue aux murs de brique sombre en haut desquels étaient éparpillés des tessons de bouteille transparents ou verts, témoignages de temps plus innocents où ce genre de mesure décourageait les cambrioleurs.

« Descendez par là et prenez la prochaine à droite, mais ne la ratez pas, sinon vous serez obligé de refaire le tour. »

Elle parlait d'une voix chevrotante, comme coincée au fond de sa gorge.

« C'est cet immeuble, il n'y en a pas d'autres », dit-elle, ou plutôt ordonna-t-elle, en levant la main juste assez haut pour désigner un carré de brique percé de cadres en aluminium blanc où l'on apercevait des silhouettes de femmes derrière les voilages.

Dans cette rue de vieilles maisons du quartier de Chapinero, l'immeuble où vivait Samanta ressemblait à un objet oublié. Elle pointa un doigt vers le trottoir, lui montrant où il pouvait se garer : à côté d'un gros arbre dont les racines s'étendaient jusque sur la chaussée. Une voiture avait sans doute libéré la place depuis peu, à la fin de l'averse, car sur le sol gris se dessinait, un peu plus clair et sec, un rectangle parfait.

« Quinze ans, monsieur Mallarino », lui dit-elle avant qu'il s'arrête, le ronronnement du moteur couvrant le murmure de certaines de ses syllabes.

Un coursier à bicyclette passa devant eux, la jambe droite de son pantalon en coutil glissée dans une chaussette orange fluorescent.

« J'avais quinze ans. Mon père était en voyage. Il voyageait beaucoup, comme tous les agents d'assurances : à Cali, à Carthagène, à Medellín et, par la suite, à Caracas, Quito, Panamá. J'étais à une fête. Ma mère m'avait exceptionnellement demandé de rentrer tôt, parce que mon père devait revenir dans la soirée et qu'il fallait l'attendre à la maison. Ma mère ne vivait que pour ça : faire la cuisine, lui montrer que sa famille l'attendait quand il était de retour à la maison. En bonne petite fille que j'étais, je lui obéissais. Ce soir-là, j'ai trouvé ma mère dans la cuisine, toutes les lumières de l'appartement étaient éteintes, sauf celle de la gazinière. Vous savez laquelle ? Le petit voyant jaune de la hotte aspirante, resté allumé alors qu'il n'y avait aucun plat en préparation en dessous. Et ma mère était là, assise près du plan de travail, elle mangeait des couennes de porc frites industrielles. Je n'oublierai jamais ce détail : les couennes de porc frites, des couennes de porc en paquet. Elle m'a dit que mon père n'était toujours pas là. À six heures du matin, on a traversé toute la ville pour aller sur le parking de l'aéroport. Il y laissait toujours sa voiture : il ne s'absentait jamais plus de deux jours. Nous sommes entrées sur le parking et avons tourné un bon moment en rond avant de trouver la voiture de mon père. Elle était là. Je me suis approchée d'une des portières pour regarder à l'intérieur. Je ne sais pas ce que je comptais y voir, mais j'ai quand même regardé. Les vitres étaient sales parce qu'il avait plu. Et vous savez ce que j'ai vu, monsieur Mallarino ? »

Mallarino s'accrocha à une barre invisible, s'attendant à une révélation atterrante ou macabre.

« Je n'ai rien vu du tout, reprit Samanta. Il n'y avait rien à l'intérieur. Pas même un porte-clés, un ticket de péage ou quelques pièces de monnaie. Les fenêtres étaient sales et l'intérieur de la voiture tout propre. Comme si on avait prévu de la vendre dans l'après-midi. Je crois qu'au fond, ma mère savait. Elle ne m'a pas paru inquiète et c'est pour ça que j'ai eu l'impression qu'au fond, elle savait que mon père était parti… Et le plus étrange, c'est que ça ne m'a jamais posé aucun problème, monsieur Mallarino. Ce qui nous est arrivé est déjà arrivé dans des centaines, des milliers de familles. Pour moi, ça n'a jamais été un problème. Mais hier soir, j'ai commencé à me poser des questions idiotes. Quel rapport y a-t-il entre la fuite de mon père et ce qui s'est passé hier ? Les deux choses sont-elles liées ? Non, il n'y a aucun lien ou, en tout cas, je n'en vois aucun. À moins qu'il n'y en ait un et que je ne m'en rende pas compte. »

Mallarino la vit rentrer le menton, fermer les yeux très fort.

« Ce que je veux, c'est savoir ce qui s'est passé là », s'empressa-t-elle de poursuivre d'une voix mouillée et profonde, et il y eut soudain comme une urgence dans l'air vicié de l'habitacle. « Là », répéta-t-elle.

Elle fondit de nouveau en larmes, mais ses pleurs étaient à présent plus francs, déformaient ses traits, la privaient de sa beauté. Elle frappait son ventre du plat de la main et sa bouche, l'expression de sa bouche, s'élargissait.

« Qu'est-ce qui s'est passé, là, ici ? disait-elle, je veux savoir ce qui s'est passé ici. »

Mallarino regardait fixement ses mains discrètes, il les interrogeait, se demandant pourquoi elle s'assenait ces tapes sur le corps ; il ne comprenait pas. Ils étaient là, garés devant l'immeuble, quand Samanta eut une moue impatiente et ouvrit la bouche, comme pour laisser échapper une grosse bulle d'air.

Tout se passa ensuite très rapidement : elle posa les pieds au-dessus de la boîte à gants, souleva les hanches et, avec adresse, d'un seul mouvement, baissa son collant en laine verte et sa petite culotte d'un blanc délicat en glissant les pouces sous les deux élastiques avant d'exercer une poussée vers l'avant, non pas en ligne droite, mais esquissant en l'air une courbe de la forme d'un bol ou d'un sourire. Ce fatras de vêtements froissés resta autour de ses chevilles, à ses pieds comme un animal de compagnie, et, pendant un court instant, Mallarino vit ses mollets constellés de points rouges et une marque ovale violacée sur une cuisse, à l'endroit où elle s'était peut-être frappée. Elle écarta les genoux et toute la lumière du monde pénétra dans le 4 × 4, éclairant son sexe pâle, son duvet raide, blond et clairsemé, sa vulve insolente. Sa main se refermait dessus, s'en écartait pour y revenir ensuite, les doigts raides sur la peau diaphane de ses grandes lèvres.

« Ici, répétait-elle. Je veux savoir ce qui s'est passé ici. C'est ce que vous avez vu, monsieur Mallarino ? C'est ce que vous avez vu il y a vingt-huit ans ? Elle a beaucoup changé ou pas trop ? »

Mallarino leva la tête et découvrit, postée devant une des fenêtres de l'immeuble de brique, la silhouette d'un curieux qui tirait le rideau afin de mieux distinguer la scène. Ce n'était en vérité ni un curieux ni un voyeur, mais une femme âgée. Mallarino entrevit son peignoir et surprit sa moue de dégoût avant qu'elle se cache derrière les ombres blanches et délicates du voilage. Il voulut se tourner mais en fut empêché par sa ceinture de sécurité. Il la détacha pour prendre son imperméable sur la banquette arrière. Il le trouva par terre (il avait dû glisser sur la route de montagne) et le récupéra d'une main avant de le jeter sur Samanta, au début avec des gestes agacés, puis comme pour protéger une fillette qui a pris froid.

« Ici, ici, ici, répétait-elle, enfouissant son visage dans ses mains.

– Rhabille-toi. Tout va bien se passer », lui dit Mallarino, se mettant sans savoir pourquoi à la tutoyer.

Elle se redressa, ramena les genoux sur sa poitrine et enlaça ses jambes.

« Je n'ai rien demandé. J'étais bien tranquille. »

Mallarino décela dans sa voix de la honte, mais aussi de l'amertume et une terrible vulnérabilité.

« Tout va bien se passer », répéta-t-il.

Il lui caressa les cheveux et la désira ; il se détesta pour cela. Il chercha la loge du regard afin de s'assurer que le concierge n'avait pas assisté à la scène qui venait de se dérouler. Sur le tronc gris de l'arbre, quelqu'un avait gravé au couteau deux noms enfermés dans un cœur. PAHY, lut-il avant de comprendre qu'il ne s'agissait pas d'un « H », mais de deux « T » unis par une même barre horizontale.

« Rhabille-toi, dit-il à Samanta. Monte chez toi et dors un peu, on se retrouve à trois heures. »

Magdalena avait pensé que déjeuner à quelques pas des dessins de Matisse, Giacometti ou Gustav Klimt plairait à Mallarino : à en juger par sa réputation d'anachorète, de vieux-sage-caché-dans-la-montagne, il ne fréquentait plus aussi souvent qu'en d'autres temps le quartier de La Candelaria et d'autant moins ce musée qui conservait encore, dix ans après son inauguration, l'éclat des constructions récentes. Dans la matinée, Magdalena avait réservé une table en terrasse au restaurant situé dans la cour intérieure, mais à présent elle le regrettait ; après la pluie, le ciel de Bogotá s'était dégagé comme si on avait tiré un rideau et la lumière de midi se réverbérait sur les hauts murs blancs du patio, les tables en aluminium, les sets de table en papier, aveuglant les clients. Ils étaient arrivés à pied par la rue 5, Magdalena avait parlé de l'émission qu'elle avait enregistrée la veille, dans l'après-midi, et Mallarino s'était plaint des mauvaises odeurs : la friture faite dans de l'huile ayant déjà servi, les chiens errants, les couvertures des clochards à l'entrée des immeubles et aussi la merde, qui apparaissait tout à coup dans un coin et dont il valait mieux ne pas chercher à établir l'origine. Cette agression des sens contrastait violemment avec le souvenir, encore récent et vif, de ce qui s'était passé avec Samanta Leal. Il ne fallait pas parler de ça. Il fallait le laisser à l'écart : là-bas, dans l'autre monde, un monde alternatif aux règles incompréhensibles. Sitôt après être entré par la porte de la rue 11, avoir gravi la haute marche et contourné l'énorme main de bronze, Mallarino avait pris la décision de ne pas parler de ce qu'il avait vu et entendu depuis sa nuit avec Magdalena, dans la maison de la montagne. Un jour s'était écoulé, un peu plus d'un jour, autant dire des siècles. À présent le soleil frappait les murs blancs en les éblouissant, le serveur leur avait apporté une bouteille de vin blanc non pas blanc, mais doré : le vin est fait de particules de lumière agglutinées par l'humidité. Où avait-il déjà entendu ça ? Magdalena s'en souviendrait, elle était douée pour ce genre de choses. Maintenant elle servait le vin et y prenait plaisir ; ses cheveux courts allaient très bien avec son visage à forte ossature, ses pommettes préraphaélites, l'arête de son nez qui descendait en une longue ligne élégante. S'efforçant de laisser dans un coin les images gênantes, encombrantes, il pensa à Samanta Leal. S'il ne parlait pas des heures qui venaient de s'écouler ni de son rendez-vous de l'après-midi, les instants qu'il passerait en compagnie de Magdalena seraient peut-être une plage nécessaire et urgente de quiétude. Que la Terre s'arrête de tourner : il ne demandait que ça. Qu'elle s'arrête, que tout se taise. Oui, qu'un peu de silence s'impose pour laisser s'exprimer cette voix qui, à présent, lui parlait, une voix rauque et encore claire, une voix de violoncelle, une de ces voix capables de figer la main qui tourne le bouton pour changer de fréquence, une voix qui traduit le chaos du monde et transforme son jargon obscur en langage diaphane. Interprète ce monde pour moi, Magdalena, dis-moi ce qui nous est arrivé et ce qui peut arriver maintenant, ce qui pourrait m'arriver maintenant, ce qui pourrait arriver à Samanta Leal, dis-moi comment on fait pour se rappeler ce qui se cache dans le passé, dis-moi comment se rappeler ce qui n'est pas encore survenu. Et, tout à coup, la petite phrase qui l'avait accompagné ces jours derniers était de nouveau là, comme une effilochure de viande entre les dents.

« C'est une pauvre mémoire que celle qui ne fonctionne qu'à reculons. Qui a dit ça ? »

Magdalena mâcha une, deux fois.

« La Reine Blanche à Alice, répondit-elle, la bouche encore pleine, les yeux vifs et souriants. Beatrice adorait ce livre qu'on lui a lu je ne sais combien de fois. »

Mais Beatriz n'était pas là. Beatriz était en voyage. Beatriz était toujours en voyage. Beatriz ne s'arrêtait jamais, sans doute par crainte de ne plus jamais pouvoir décoller à nouveau. La Reine Blanche adressait ces mots à Alice. Beatriz adorait ce livre. Oui, un jour, il lui avait lu cette histoire ou quelques pages de cette histoire et il se rappelait l'avoir vue – allongée sur un hamac, dans les terres chaudes – la lire seule quand elle avait été en âge de le faire. L'image de sa fille en train de lire l'avait toujours ému, sans doute parce qu'il décelait sur son visage les mêmes signes d'intense concentration que ceux qu'il connaissait chez Magdalena, le même froncement de sourcils et de lèvres, et il ne pouvait s'empêcher de se demander pourquoi cet héritage, à quelles ultimes fins évolutives les filles reproduisent les expressions de leur mère quand un récit les intéresse. Beatriz adorait ce livre : Magdalena s'en était souvenue. Magdalena se souvenait toujours.

« Tu as de ses nouvelles ? lui demanda Mallarino.

– Oui. Elle m'a écrit il y a deux jours. J'ai une bonne et une mauvaise nouvelle.

– Vas-y. La mauvaise d'abord.

– Ils se séparent.

– Ça, c'est la bonne.

– Ne prends pas ça à la légère. Elle le vit très mal, la pauvre. Réjouis-toi qu'ils n'aient pas d'enfants.

– Je m'en réjouis. Et la bonne, alors ?

– Elle revient vivre en Colombie.

– Mais elle y vit déjà.

– Oh, ça va, arrête. Elle veut y rester, ne plus bouger.

– Qu'est-ce que ça veut dire ?

– Qu'elle a demandé une mutation, enfin, je ne sais pas trop comment on dit, elle ne m'a pas vraiment expliqué. Elle a demandé à rester ici.

– À Bogotá ?

– Non, non. Dans un endroit où on aura besoin d'elle, Javier. Dans le Meta ou le Cesar, peut-être.

– Elle ne le sait pas ?

– Pas encore. On lui a accordé son changement de poste, mais elle ne sait pas encore où on va l'envoyer. Tu peux être sûr que ça ne sera pas à Bogotá, mais on la verra plus souvent.

– Comment tu le sais ?

– Parce qu'elle me l'a dit. Elle m'a dit qu'on se verrait plus souvent. "On se verra plus souvent", elle me l'a dit textuellement. Elle m'a dit aussi qu'elle se sentait seule, qu'elle se sentait seule depuis des mois. Et qu'elle t'aurait annoncé la nouvelle si tu avais un ordinateur. »

Mallarino se rendit compte que Magdalena ne lui faisait pas ce reproche sérieusement : c'était un jeu, un clin d'œil amical, un coup de coude dans les côtes. L'instinct infaillible de Magdalena lui disait que le moment était mal choisi pour reprocher quoi que ce soit à son ex-mari. Qu'avait-elle remarqué ? *À quoi* avait-elle remarqué quelque chose d'insolite ? Ah, mais Magdalena était ainsi : une lectrice consommée de la réalité circonscrite et appauvrie, mélancolique et désabusée de Mallarino.

« Eh bien, on lui tiendra compagnie, déclara-t-il. Ici, elle ne sera plus seule. »

Le mari de Beatriz était le plus jeune fils d'une famille de propriétaires terriens catholiques et conservateurs de Popayán. D'après ce qu'en savait Mallarino, ils s'étaient placés du mauvais côté de la barrière dès le début de la Violence, ces longues années d'affrontement entre le parti conservateur et le parti libéral. « Je connais plus ou moins cette famille de réputation et je ne suis pas sûr d'apprécier que tu sortes avec ce type », avait-il dit un jour à sa fille. « Eh bien, figure-toi que sa famille sait également qui tu es, avait-elle rétorqué. Et elle n'apprécie pas du tout qu'il sorte avec moi. » Quelques années à peine après cette conversation, alors que ses parents étaient séparés depuis longtemps, Beatriz quittait à son tour son mari. Ce dernier s'appelait Juan Felipe Velasco : un jeune homme blond au menton fendu qui faisait toujours le signe de croix avant de monter en voiture. Beatriz avait appris à l'imiter et aurait enseigné ce geste à ses enfants s'ils en avaient eu, ce qui n'était pas le cas, fort heureusement. Et à présent ils divorçaient, usés eux aussi par les diverses stratégies que déploie la vie pour blaser les amants, à cause de trop nombreux voyages ou d'une trop grande présence, de l'accumulation pesante de mensonges, maladresses, indélicatesses ou erreurs, de paroles dites au mauvais moment, avec des mots excessifs ou peu appropriés, à cause de tout ce qui, faute de mots plus adaptés, plus modérés, n'avait jamais été prononcé ou s'était érodé du fait de leur mauvaise mémoire, de leur incapacité à se rappeler l'essentiel et à le vivre (se souvenir de ce qui a fait un jour le bonheur de l'autre : combien d'amants sont tombés dans cet écueil par négligence), de leur incapacité à anticiper tout ce qui use et détériore, à anticiper les mensonges, les maladresses, les indélicatesses, les erreurs, ce qui n'aurait jamais dû être dit et les silences qu'il aurait mieux valu éviter ; ils auraient dû voir ces nuisances, les voir venir de loin, s'écarter et sentir l'air se soulever sur leur passage comme une météorite frôlant notre planète. Ils auraient dû les voir venir, songea Mallarino, et s'écarter. Une tribu indigène du Paraguay, ou peut-être de Bolivie, pense que le passé est devant nous, car nous le voyons et le connaissons, alors que l'avenir est derrière : tout ce que nous ne pouvons ni voir ni connaître. La météorite arrive toujours dans notre dos, nous ne la voyons pas, nous en sommes incapables. Il faut pourtant pouvoir la distinguer, la voir venir et s'écarter. Il faut affronter le futur. C'est une pauvre mémoire que celle qui ne fonctionne qu'à reculons.

Il regarda autour de lui, au-delà du visage lumineux de Magdalena, puis sur sa gauche, à travers la baie vitrée qui séparait la terrasse de l'intérieur du musée, et sur sa droite, au bout de la cour, du côté de l'entrée. Deux, trois, quatre couples : combien étaient-ils à se séparer en ce moment même ? Combien se séparaient déjà sans le savoir, se dirigeant lentement vers la corrosion ? Dans la cour, un gamin en short courait après une minuscule balle qui rebondissait et disparaissait vers la bouche d'égout. L'enfant criait et réclamait de l'aide. Et Samanta Leal ? Il ne lui avait pas demandé si elle était mariée, si elle avait des enfants, quelqu'un avec qui partager ou du moins atténuer ses souffrances. Elle avait l'âge de Beatriz, trente-cinq années qui leur avaient suffi à réaliser des tas de choses. Mallarino était perdu dans ses pensées quand un client assis à une table voisine, un homme qui avait déjeuné à l'intérieur, de l'autre côté de la baie vitrée, le regarda droit dans les yeux, se leva (il vit ses mains plier sa serviette) et gagna la porte ouverte. Il attendit d'être auprès d'eux pour parler et, lorsqu'il le fit, Mallarino fut choqué par le contraste entre sa constitution robuste – et l'épaisseur de la main qui se tendait pour le saluer – et son attitude obséquieuse.

« Vous êtes Javier Mallarino », commença-t-il d'un ton mi-affirmatif, mi-interrogateur.

Magdalena leva la tête, sa fourchette en l'air. Mallarino acquiesça et serra la main qu'on lui tendait.

« Merci pour votre travail, dit l'homme. Je vous admire, monsieur. Je vous admire, vous savez ? Énormément.

– Comme le monde a changé », dit Magdalena, visiblement amusée par la scène, quand il eut regagné sa place, de l'autre côté de la baie vitrée.

Elle s'était montrée ironique, mais Mallarino décela une satisfaction évidente au coin de ses lèvres, là où s'était esquissé son sourire moqueur.

« J'avoue que je n'ai jamais eu à vivre ça avec toi. Ça fait longtemps ?

– Non, ça date d'aujourd'hui ou d'hier, mais hier, je ne suis pas allé dans le centre.

– Ça veut dire que les gens lisent encore les journaux.

– Oui, je suppose.

– Tu pourrais leur faire ta pose *Titanic*. Pour rendre tes fans heureux.

– Ne te fous pas de moi », souffla Mallarino en souriant, le nez dans son assiette.

Il s'installa plus commodément, se tourna un peu sur le côté et cala son dos contre l'aluminium froid de la chaise, comme pour avoir une meilleure vue de l'endroit. Magdalena lui demanda si son hernie lui faisait mal, s'il voulait qu'ils règlent l'addition et aillent marcher un peu. Il se rendit compte alors qu'en effet, son hernie s'était manifestée (une douleur sourde au coccyx, des élancements dans la jambe gauche). Magdalena savait. Qu'il était agréable et surprenant de constater la persistance du passé et la présence obstinée, entre eux deux, de leurs années de mariage ! Ils se connaissaient bien, mais il y avait autre chose, sans doute lié au fait qu'ils s'étaient rencontrés très jeunes, avaient vécu ensemble et traversé ensemble les premières défaites pour emprunter ensuite la longue voie de l'apprentissage (et maintenant qu'ils avaient appris, il était trop tard pour appliquer les leçons). Tout cela était présent, comme un invité de plus à leur table, de là leur aisance, la manière détendue dont Magdalena venait de poser ses couverts dans son assiette vide et, comme il l'avait fait un instant plus tôt, s'adossait en silence sur sa chaise en aluminium. Pourquoi son deuxième mariage avait-il été un échec ? Neuf ans après s'être séparée de Mallarino, elle avait épousé un placide avocat spécialisé en droit commercial et tout un chacun aurait pu penser – on tire en général un meilleur profit des secondes chances – que cette relation était pour la vie. Il n'en fut rien : Mallarino s'informa dans les grandes lignes du sort de Magdalena par la rumeur et en lisant « *Teléfono rosa* », la rubrique des potins du journal *El Tiempo*, où on annonçait aussi la possible reddition de Pablo Escobar. (Mallarino fit à l'époque une caricature du baron de la drogue à côté des victimes de son dernier attentat terroriste. Sur un des côtés du dessin, le prêtre Rafael García Herreros, en soutane, se penchait vers le trafiquant de drogue et lui disait : « Ne t'en fais pas, mon petit. En tout cas, moi je sais que tu es gentil. ») Le mariage de Magdalena n'avait pas duré plus de dix-huit mois ; Mallarino ne chercha jamais à savoir ce qui s'était passé. Maintenant, il pouvait le faire. Le voulait-il ? Maintenant, il pouvait le faire. Un nuage chargé de pluie assombrit la cour ; il sentit un courant d'air froid qui hérissa le duvet de ses bras. Magdalena serra les poings sur sa poitrine et haussa les épaules, donnant à Mallarino l'impression évidente, aussi concrète qu'une crampe dans les vertèbres, qu'il était tard. *Il se fait tard*, songea-t-il, et ces mots s'éclairèrent dans son esprit. Non sans stupeur, il se rendit tout de suite compte qu'il ne songeait pas à l'heure.

« Viens vivre avec moi », lâcha-t-il.

Magdalena se leva comme si elle s'attendait à cette proposition (elle ne semblait pas surprise, mais Mallarino avait peut-être mal interprété son expression). Avec l'application d'une petite fille sage, elle poussa sous la table la chaise qui émit sur le sol bétonné un crissement métallique irritant.

« Allons-y, répondit-elle. Je dois repasser au studio. »

Ils gagnèrent la cour principale par le couloir, la traversèrent et passèrent devant la fontaine de pierre qui crachait distraitement un jet fluet. Mallarino eut le temps de jeter un coup d'œil à la femme blonde de Lucian Freud qu'il aimait tant, puis il se détourna aussitôt, n'ayant aucune envie que son regard tombe malgré lui sur l'étude pour *La Leçon de guitare*. Dans la rue 11, ils constatèrent que le ciel s'était couvert ; plus une seule ombre ne se projetait sur les murs et de petits groupes d'étudiants étaient assis sur les marches de la bibliothèque. Ils descendirent vers la

Carrera Séptima et se dirigèrent vers le nord. Magdalena l'avait pris par le bras.

« Qu'est-ce que tu en penses ? Ce n'est pas une bonne idée ? » lui demanda-t-il.

Il ne leur était pas facile de marcher sur ce trottoir bourré de monde, une affluence qui les obligeait à se faire tout petits, à se mettre de profil pour céder le passage à ceux qui avançaient en portant une mallette ou un sac débordant de légumes, ou en tirant par la main un enfant qui trottinait tant bien que mal sur la pointe des pieds.

« Mon cher Javier, j'espérais que tu n'aurais jamais cette idée », lui dit Magdalena.

Ils se trouvaient à hauteur des plaques de marbre de l'immeuble Agustín Nieto et Mallarino regardait un homme aux longs cheveux blancs qui recopiait avec soin leurs textes gravés sur les pages d'un cahier ou de ce qui ressemblait à un cahier ; il était visible de l'autre côté de la rue, seule silhouette immobile au milieu des malheureux passants.

« Je ne peux pas, poursuivit-elle. Ce n'est plus possible. On est séparés depuis trop longtemps, j'ai une vie sans toi, une vie qui me plaît. J'ai bien aimé ce qui s'est passé entre nous l'autre soir, oui, j'ai beaucoup aimé. Mais j'aime aussi ma vie telle qu'elle est. J'ai mis des années à la construire et je m'y sens bien. J'aime la solitude, Javier. À ce stade de mon existence, j'ai découvert que j'aime ma solitude. Beatriz ne le sait pas encore, mais je crois que je peux lui apprendre à aimer la sienne. Ce serait un beau cadeau, d'apprendre à ma fille à être seule, à apprécier sa solitude. Moi, j'aime la mienne. C'est compréhensible, non ? Je crois qu'il est trop tard. »

Mallarino ne fut pas surpris qu'elle emploie ces mots, presque les mêmes que ceux qui lui étaient venus à l'esprit quelques minutes auparavant.

« En fait, il n'est jamais trop tard, reprit Magdalena, bien sûr que non, tout dépend des gens. Mais ce que tu me proposes n'est pas pour moi, pas pour nous. On n'a plus de temps à consacrer à ça. »

De l'autre côté de l'avenue Jiménez, au-delà du mur oppressant dépourvu de fenêtres de la Banque de la République, s'étendait le parc Santander. Plus tard, en se rappelant ce début d'après-midi, Mallarino se demanda s'il avait commencé à songer à la mort de Ricardo Rendón à cet instant. Il en conclut par la suite qu'il n'en avait peut-être pas eu conscience sur le moment, attentif à l'agréable pression du bras de Magdalena sur le sien, à l'odeur de ses cheveux, à sa voix capable de dire avec une douceur insoupçonnée des mots blessants comme des dards : « J'espérais que tu n'aurais jamais cette idée » ou « On n'a plus de temps à consacrer à ça ». Oui, c'était sûrement à cet instant, car juste après qu'elle eut prononcé ces mots, de l'endroit où on distingue les parasols des cireurs de chaussures, il s'était arrêté au milieu du trottoir et, sans s'émerveiller de ce prodige, il se rappela une fois encore des faits qu'il connaissait par cœur, même s'il n'en avait jamais été le témoin.

Il se rappela le film de Chaplin que Rendón était allé voir la veille, la dépression profonde mais discrète qu'il traversait à l'époque, la conversation avec le directeur d'*El Tiempo* et sa suggestion de prendre un peu de repos dans une clinique. Mallarino se rappela tout cela et aussi les dessins au crayon bleu que Rendón avait laissés à la rédaction à côté des deux tomes récemment publiés de ses caricatures. Dans son souvenir, Rendón était sorti après vingt-deux heures pour se rendre à La Gran Vía, où il avait écouté de la musique en buvant de l'eau-de-vie et en plaisantant avec le patron, puis il était rentré chez lui, rue 18, avant minuit, triste mais non ivre, surtout très fatigué. Mallarino se le rappela insomniaque, réfléchissant à sa caricature du lendemain ; il le vit également se réveiller et discuter avec sa mère du dessin qu'il projetait de faire. Rendón sortit en tenue de deuil, comme toujours, et Mallarino le vit s'arrêter un moment à l'angle de la Carrera Séptima, puis passer la porte de La Gran Vía. Dans son souvenir, Rendón commande une bière Germania qu'on lui sert sur un plateau et allume une cigarette. Il pense à Clarisa, la jeune fille dont il est tombé amoureux il y a si longtemps à Medellín, revit le mécontentement et les protestations des parents de l'adolescente ; il pense à Clarisa et à son entêtement héroïque, à sa grossesse, son enfermement forcé, sa maladie et sa mort. Il finit sa bière, sort son crayon et fait son dernier dessin (un schéma constitué de lignes droites retraçant le parcours d'une balle qui pénètre dans un crâne) et écrit sur le plateau les dix mots que Mallarino avait parfaitement gardés en mémoire : *Je vous supplie de ne pas me ramener chez moi*, après quoi il braque sur sa tempe droite le canon d'un Colt 25. Mallarino se le rappela faisant ce que personne ne l'avait jamais vu faire : se tirer une balle. Il se rappela la tête tombant lourdement sur la table, le plateau qui tressaute dans un bruit métallique, les lèvres qui éclatent sous le choc et une dent qui s'abîme, le sang qui commence à se répandre (et paraît noir sur le bois patiné) ; il se le rappela ensuite arrivant à la clinique du docteur Manuel Vicente Peña, qui rédige son rapport en choisissant des mots que Mallarino vit comme s'il les lisait noir sur blanc : *respiration entrecoupée de râles, hématome sous-cutané, hémorragie dans la bouche, os pariétal droit.* Les médecins le trépanent pour réduire la pression sanguine et un crachat visqueux et puissant tombe sur le sol blanc. Mallarino se rappela cette scène et se rappela aussi l'heure exacte de la mort : dix-huit heures vingt. Alors, perdu dans ses évocations, il entendit Magdalena lui dire : « Nous n'avons plus de temps à consacrer à ça. »

Il comprit qu'il était inutile d'insister ou qu'il avait eu tort de formuler cette proposition. Il comprit aussi d'autres choses, situées au-delà du discours immédiat, dans une zone d'intuition comparable à celle de la foi. Il était recru de fatigue, une fatigue soudaine et trompeuse, comme si un enfant s'était brusquement pendu à son cou. Un mouvement vint alors les distraire : un homme s'approchait d'eux à pas lents, le corps penché vers l'avant, comme s'il cherchait une pièce de monnaie par terre. Mallarino se souvint de ses traits avant qu'il ne leur adresse la parole : ses yeux, ses oreilles, sa moustache blanche et grise comme la fiente des pigeons. Quand il lui tendit la main, Mallarino vit les taches de cirage sur sa peau sèche et sa main se referma sur celle de l'homme, qui était ferme et solide. Mallarino la serra avec force.

« Monsieur, vous êtes le caricaturiste, dit l'homme. J'ai ciré vos chaussures, l'autre jour, et je ne vous ai même pas reconnu, je suis vraiment désolé. »

Mallarino tendit le bras gauche et sa montre apparut sous la manche de sa veste. (Il avait les poignets fins – Magdalena lui avait toujours dit qu'il avait des poignets de femme – et, par temps froid, le bracelet devenait trop large pour lui et faisait parfois un tour sur lui-même, ce qui amusait beaucoup Magdalena, qui ajoutait qu'autrefois les femmes portaient leur montre de cette façon.) Le boîtier se déplaça un peu pour s'immobiliser sur la légère proéminence du cubitus, la demi-sphère osseuse que certains touchent quand ils sont soucieux. Mallarino prit le cadran entre le pouce et l'index et consulta l'heure. Il pensait avoir un peu de temps devant lui.

« Vous êtes libre ? demanda-t-il au cireur.

– Oui, monsieur, bien sûr, il ne manquerait plus que ça, répondit l'homme. Vous ne pouvez pas savoir comme j'ai regretté de ne pas vous avoir reconnu, l'autre jour. Imaginez, monsieur : quelqu'un comme vous. »

À quinze heures passées, après avoir pris congé de Magdalena sur l'esplanade de l'université en l'embrassant sur la bouche tout en songeant que ce baiser était peut-être le dernier, après avoir récupéré son 4 × 4 au parking de la rue 25, s'être dirigé vers le nord par la route en hauteur pour descendre la voie étroite qui traverse le Parc national – une artère courte, mais dangereuse et sinueuse où on redoute que la nuit vous surprenne –, après avoir laissé la voiture sur un emplacement en forme de croissant situé au cœur du parc, Mallarino marcha jusqu'au bassin de pierre du monument en hommage à Uribe Uribe, d'où il essaya d'apercevoir l'agence de voyages. Selon l'adresse indiquée, elle était tout près et forcément visible depuis le bassin. Ses yeux le piquaient, comme toujours lorsqu'il quittait son refuge dans la montagne pour se rendre au cœur de la ville ; même s'il avait quitté le centre historique, ses yeux larmoyaient encore et le brûlaient. Le ciel s'était couvert, mais il ne pleuvrait pas ; aucune ombre ne se projetait sur les trottoirs et dans le parc, tout le monde – les vendeurs de cerfs-volants, les enfants qui surveillaient les voitures stationnées ou couraient autour du bassin, les jeunes couples assis sur la pelouse – semblait apprécier l'air chaud et doux. Tout en cherchant des yeux l'agence de la veuve de Cuéllar, de l'autre côté de la grande artère, Mallarino se sentit observé. Il découvrit la grande enseigne blanche en plastique rigide, les mots *Voyages* en petit italique et *La Licorne* en capitales grandes et imposantes, et l'imagina allumée à la tombée de la nuit, baignant le trottoir de son éclat. Du côté droit, devant la vitrine mais loin de la porte, se tenait Samanta Leal.

Elle l'attendait. Son attitude était empreinte de la nonchalance étudiée qu'on affiche en position d'attente : nous savons ou croyons pouvoir être surpris à tout moment par la personne que nous devons retrouver et avons des expressions, des gestes, une façon de nous camper sur nos jambes et de garder notre dos droit différents de ceux que nous adopterions dans une autre situation. Mallarino reconnut la forme des épaules de Samanta et vit la ligne de ses cheveux se découper dans son dos comme une plaque de cuivre ; il reconnut aussi son sac à main, celui-là même dont elle avait sorti la veille l'enregistreur qui ressemblait à un briquet, le carnet et le stylo. En effet, elle s'était changée, avait troqué son chemisier blanc contre un pull turquoise qui, de loin, semblait fin, et sa jupe et son collant contre un pantalon qui faisait ressortir ses hanches, lui donnait l'allure d'une femme accomplie, plus mûre. Il marcha jusqu'aux feux et attendit qu'ils passent au rouge. Les voitures, les bus, les minibus et les camions circulaient dans les deux sens, les visages des conducteurs défilaient devant lui, comme projetés sur un écran, des traits qui n'existaient qu'une courte seconde pour replonger aussitôt dans le néant. Certains le regardaient d'un air inexpressif et passaient au visage suivant, celui d'un piéton debout sur le trottoir bondé, autre visage vide sur lequel ils posaient les mêmes yeux vides ; d'autres ne le voyaient même pas et regardaient ailleurs : du côté des montagnes ou des immeubles, d'une parcelle inhabitée du monde visible. Parfois, les gens ont envie de se reposer de leurs semblables. À une époque, Mallarino aimait être très entouré. Il avait à présent perdu ce goût, la vie le lui avait ôté, comme tant d'autres choses. Si on savait ne serait-ce que dix pour cent, même un pour cent de ce qui se passe à Bogotá ! Si Mallarino pouvait fermer les yeux et lire dans les pensées de ceux qui l'entouraient à cet instant précis ! Mais ce n'était pas possible et ils étaient tous là, à marcher sur les trottoirs, à s'arrêter aux feux, entourés de gens, perpétuellement sourds.

Au milieu du petit groupe de passants qui s'apprêtaient à traverser l'avenue, Mallarino songea à ce qui allait bientôt survenir. Rodrigo Valencia avait peut-être raison : chercher à en savoir davantage était une erreur, une erreur lamentable, la pire que Mallarino puisse commettre. Valencia ne s'était peut-être pas trompé dans ses prédictions et, s'il continuait, s'il accompagnait Samanta à l'agence de voyages, s'il parlait à la veuve de Cuéllar ou écoutait la conversation que Samanta aurait avec elle, il découvrirait en sortant un monde changé, un monde (un pays et, dans ce pays, une ville et, dans cette ville, un journal) où il ne serait plus celui qu'il était à présent. Après cette entrevue et quelle qu'en soit la teneur, quels que soient les mots échangés, l'armée de ses ennemis lui fondrait dessus sans pitié. Des chacals, ils étaient tous des chacals qui avaient attendu leur vie durant cet aveu de vulnérabilité. Parce qu'ils le sauraient, ils l'apprendraient fatalement : quelle que soit la teneur de l'entrevue, quels que soient les mots échangés. Peu importaient les révélations que leur ferait la veuve de Cuéllar, peu importait qu'il y ait une révélation, qu'elle les flanque dehors en criant, sans ménagement, sans rien leur avoir appris, peu importait qu'elle refuse de parler, qu'elle exerce la terrible vengeance du silence, un silence qui meurtrirait Samanta et serait pour elle le pire des affronts, l'humiliation suprême. La situation était déjà embarrassante pour la jeune femme, mais après avoir connu le trouble, après s'être montrée audacieuse et avoir affronté ses souvenirs, se voir opposer le silence serait la pire des humiliations.

Même si l'entrevue se soldait ainsi, les chacals le sauraient et partiraient à l'assaut, car les faits passés, songea Mallarino, comptaient moins à leurs yeux que l'incertitude actuelle du caricaturiste et ce qu'elle révélait. Ils l'humilieraient lui aussi, il ne leur en faudrait pas davantage :

ils se contenteraient d'une question, la question simple qui se dessinait peut-être en ce moment sur les lèvres de Samanta, qu'elle avait peut-être répétée toute la matinée, choisissant ses mots et ses intonations, choisissant jusqu'à l'expression de son visage afin de ne pas paraître trop désarmée. En décidant de sa tenue aussi, songea-t-il, car elle l'avait très certainement choisie en tenant compte de la question qu'elle allait poser à la veuve de Cuéllar. Le résultat pouvait varier du tout au tout, elle avait au moins une chance sur deux de connaître la vérité ; pour lui, c'était différent : quoi qu'il arrive dans l'agence de voyages La Licorne, ses ennemis depuis quarante ans le montreraient du doigt à la sortie, excitant une foule en délire, prête à faire son procès sommaire et à le brûler sur le bûcher changeant et capricieux de l'opinion publique. Mallarino serait alors un calomniateur ou plus simplement un irresponsable, coupable d'avoir détruit la vie d'un homme ou plus simplement accusé d'avoir abusé en toute impunité de son pouvoir médiatique. À présent, il comprenait mieux ce qui s'était passé vingt-huit ans auparavant, quand il avait pris plaisir à humilier Adolfo Cuéllar ; il comprenait la ferveur avec laquelle le public avait accueilli cette humiliation, une ferveur masquée par l'indignation ou l'incrimination. Il s'était contenté de mettre le mécanisme en marche, oui, il avait allumé le feu et s'y était ensuite réchauffé les mains… Maintenant, c'était son tour. Peu importait qui avait raison ou tort. Peu importaient la justice ou l'injustice. Une seule chose comptait plus que l'humiliation aux yeux du public : l'humiliation de celui qui avait humilié. Cet après-midi, il ne leur procurerait pas ce plaisir. Ce qu'il dirait à la femme du mort ne ferait aucune différence : s'il décidait de franchir la porte des Voyages La Licorne, il cesserait d'être l'autorité morale qu'il était en ce moment pour devenir un médiocre colporteur de rumeurs, un franc-tireur de la réputation d'autrui. Un homme de ce genre ne peut être laissé en liberté. Un homme de ce genre est dangereux.

Le feu était passé au rouge et les véhicules s'étaient arrêtés, Mallarino pouvait traverser la rue, fendre l'air lourd qui forme à Bogotá une sorte de nuage devant les voitures à l'arrêt.

« Samanta ! » cria-t-il au coin de l'avenue, semblable à un enfant impatient.

Il se trouvait à cinquante mètres d'elle, à cinquante mètres des Voyages La Licorne et de la porte qui allait changer sa vie, et ne pouvait ni faire preuve de patience ni attendre d'avoir parcouru cette distance pour attirer l'attention de Samanta Leal.

« Samanta ! »

Elle redressa la tête, se tourna vers l'endroit d'où provenait le cri, vit Mallarino et leva une main timide mais contente, l'agita lentement au début, puis enthousiaste, et quelque chose s'éclaira dans son visage. Mallarino songea que l'avant-veille – le soir de la cérémonie, dans le bar du théâtre Colón, un petit bout de plastique au bout de la langue – il ne l'avait pas trouvée aussi belle. Et s'il pouvait remonter le temps jusqu'à la cérémonie, les discours glorieux, les médailles et les tapes sur l'épaule ? S'il le pouvait, le ferait-il ? Non, il n'en ferait rien, songea-t-il, surpris. Les mots, les mots impertinents de Rodrigo

Valencia revinrent l'asticoter : *À quoi bon ?* À quoi bon gâcher la vie d'un homme, même s'il le méritait ? À quoi servait ce pouvoir si rien ne changeait hormis la vie de cet homme ? Quarante ans : depuis peu, tout le monde le félicitait, mais Mallarino venait seulement de se rendre compte que, plus qu'une qualité, sa longévité était une insulte. Quarante ans sans rien de changé autour de lui. *Je vous supplie de ne pas me ramener chez moi.* Mallarino se pencha sur cette phrase comme on se penche au-dessus d'une flaque d'eau sombre et eut l'impression qu'au fond, quelque chose brillait. Il songea de nouveau à la soirée donnée en son honneur, au timbre-poste, à son propre visage le regardant, encadré de dents féroces. Tout cela était loin à présent, très loin : là, sur le trottoir de la Carrera Séptima, dans l'après-midi de Bogotá, ces scènes commençaient à relever du souvenir et pouvaient être oubliées. Y parviendrait-il ? La mémoire a la merveilleuse capacité de se rappeler l'oubli, son existence, sa manière de se mettre en faction, nous permettant ainsi d'être prêts à nous souvenir ou de tout effacer si on le souhaite. Se libérer, se libérer du passé était son plus cher désir.

Plus rien ne le reliait au passé. Le présent était lourd, gênant comme une addiction à une drogue. En revanche, l'avenir lui appartenait. Il suffisait de voir le futur, d'être capable de le distinguer très nettement, de se débarrasser un moment de la propension qu'on a à tromper les autres et soi-même, des mille mensonges qu'on se raconte quant à ce qui pourrait arriver. Il est bien évidemment nécessaire de se mentir à soi-même, car personne ne peut supporter une trop grande clairvoyance : combien ont voulu connaître la date de leur mort ou prévoir longtemps à l'avance la maladie ou le malheur ? Mais à cet instant, alors qu'il se dirigeait vers Samanta, qu'il trouvait si belle dans son pull turquoise, si forte devant le fond flou et les reflets des vitrines, la bouche entrouverte, comme si elle entonnait une chanson secrète, Mallarino comprit tout à coup qu'il pouvait le faire : il comprit que s'il n'avait aucun contrôle sur le passé mobile et volatil, il pouvait se rappeler très nettement son avenir. N'était-ce pas ce qu'il faisait chaque fois qu'il réalisait une caricature ? Il imaginait une scène, un personnage, lui assignait certains traits, rédigeait mentalement une épigramme qui devait être pareille à un aiguillon enrobé de miel, après quoi il lui fallait mémoriser ces particularités afin de les dessiner : rien de tout cela n'existait lorsqu'il s'asseyait à sa table de travail, pourtant il était capable de s'en souvenir, il devait s'en souvenir pour le coucher sur le papier. Oui, songea-t-il, la Reine Blanche avait raison : c'est une pauvre mémoire que celle qui ne fonctionne qu'à reculons.

Alors, dans un éclair de lucidité, il se souvint de lui rentrant ce soir dans sa maison sur la montagne, montant à son bureau, s'installant sur sa chaise, et il se rappela parfaitement ce qu'il fera. Il jettera un œil aux coupures de presse punaisées sur le panneau de liège : le président de la Colombie, Simón Bolívar, le pape allemand. Il allumera sa lampe et sortira du tiroir où il range ses feuilles de format A3 un papier filigrané et prendra une plume pour écrire la date de ce vendredi et, sous la date, le nom de Rodrigo Valencia.

*Par la présente (c'est comme ça qu'on dit, n'est-ce pas ? Pour que ce soit poli et joli, j'aime les choses bien présentées), je veux vous signifier ma démission sans conditions (c'est un peu mélodramatique, je sais, mais c'est ainsi, on n'y peut rien) du journal que vous avez dirigé d'une main très heureuse ces dernières années (moins nombreuses que celles que j'ai passées à y faire des caricatures, il faut quand même le dire). J'ai pris cette décision au terme de longues et intenses conversations avec mon oreiller et autres autorités, et m'empresse de préciser que cette résolution, en plus d'être sans conditions, est irrévocable, irrémédiable et pourrait encore être qualifiée de bien d'autres mots à rallonge. Alors économisez-vous, mon vieux, car vous ne gagnerez rien à essayer de me dissuader.*

Il ira chercher dans la cuisine un sac-poubelle noir avec un cordon orange et jettera sans ménagement les flacons d'encre, les lames, le pot à crayons (l'extrémité coupée d'un bâton de pluie) et les fusains, sept sortes de mines, une spatule n'ayant jamais servi et un assortiment de plumes et de pinceaux bien peignés, comme les chanteurs d'une chorale scolaire, et tous ces objets atterriront au fond du sac. Un par un, Mallarino retournera les tiroirs de son meuble de rangement pour en déverser le contenu dans le sac ; il appréciera le bruit du papier tombant en cascade, l'électricité statique que produiront les feuilles au contact du plastique. Il décrochera le portrait du Libertador au visage émacié et celui du pape aux yeux cernés, du président fraîchement élu et du guérillero au corps encore tiède, et les mettra dans le sac. Il reculera de deux pas, regardera les espaces vides après le passage de sa main, des clairières au milieu d'une jungle luxuriante. Il décrochera la phrase à propos de l'aiguillon enrobé de miel et la mettra dans le sac. Il décrochera la caricature de Daumier et la mettra dans le sac.

Puis il fera de même avec tout le reste.

# Note de l'auteur

*Les Réputations* est une œuvre de fiction ; toute ressemblance avec des personnes ou des situations existantes ne peut être que fortuite. Une fois énoncée cette convention qu'aucun lecteur ne saurait prendre totalement au sérieux, je dois et souhaite remercier ceux qui m'ont consacré de leur temps et fourni des anecdotes personnelles ou des idées sur leur métier, en particulier Vladimir Flórez, *Vladdo*, et Andrés Rábago, *El Roto*. D'autres caricaturistes m'ont apporté sans le savoir des informations plus ou moins concrètes, et il me faut également reconnaître la dette – plus indirecte, plus ambiguë – que j'ai envers Antonio Caballero, Héctor Osuna et José María Pérez González, *Peridis*. Pour écrire les lignes traitant de la mort de Ricardo Rendón, le livre *5 en humor*, de María Teresa Ronderos, m'a été d'une grande utilité. Je souhaite et dois aussi reconnaître la dette impossible à solder que j'ai envers Jorge Ruffinelli et Héctor Hoyos, de l'université de Stanford, dont l'hospitalité m'a permis de terminer ce roman dans un appartement situé rue Oak Creek, à Palo

Alto (Californie). Enfin, je voudrais une fois de plus avoir le plaisir (et rendre compte de ma chance infinie) de citer le nom de Mariana avant de mettre le point final à un de mes livres.

RÉALISATION : NORD COMPO À VILLENEUVE-D'ASCQ
IMPRESSION : CPI FIRMIN DIDOT AU MESNIL-SUR-L'ESTRÉE
DÉPÔT LÉGAL : AOÛT 2014. N° 113918 (122705)
*Imprimé en France*